SAS

KGB CONTRE KGB

DU MÊME AUTEUR AUX PRESSES DE LA CITÉ

Nº 1 S.A.S. À ISTANBUL
Nº 2 S.A.S. CONTRE C.I.A.
Nº 3 S.A.S. OPÉRATION APOCALYPSE
Nº 4 SAMBA POUR S.A.S.
Nº 5 S.A.S. RENDEZ-VOUS À SAN FRANCISCO
Nº 6 S.A.S. DOSSIER KENNEDY
Nº 7 S.A.S. BROIE DU NOIR
Nº 8 S.A.S. AUX CARAÏBES
Nº 9 S.A.S. À L'OUEST DE JÉRUSALEM
Nº 10 S.A.S. L'OR DE LA RIVIÈRE KWAÏ
Nº 11 S.A.S. MAGIE NOIRE À NEW YORK
Nº 12 S.A.S. LES TROIS VEUVES DE HONG-KONG
Nº 13 S.A.S. L'ABOMINABLE SIRÈNE
Nº 14 S.A.S. LES PENDUS DE BAGDAD
Nº 15 S.A.S. LA PANTHÈRE D'HOLLYWOOD
Nº 16 S.A.S. ESCALE À PAGO-PAGO
Nº 17 S.A.S. AMOK À BALI
Nº 18 S.A.S. QUE VIVA GUEVARA
Nº 19 S.A.S. CYCLONE À L'ONU
Nº 20 S.A.S. MISSION À SAÏGON
Nº 21 S.A.S. LE BAL DE LA COMTESSE ADLER
Nº 22 S.A.S. LES PARIAS DE CEYLAN
Nº 23 S.A.S. MASSACRE À AMMAN
Nº 24 S.A.S. REQUIEM POUR TONTONS MACOUTES
Nº 25 S.A.S. L'HOMME DE KABUL
Nº 26 S.A.S. MORT À BEYROUTH
Nº 27 S.A.S. SAFARI À LA PAZ
Nº 28 S.A.S. L'HÉROÏNE DE VIENTIANE
Nº 29 S.A.S. BERLIN CHECK POINT CHARLIE
Nº 30 S.A.S. MOURIR POUR ZANZIBAR
Nº 31 S.A.S. L'ANGE DE MONTEVIDEO
Nº 32 S.A.S. MURDER INC. LAS VEGAS
Nº 33 S.A.S. RENDEZ-VOUS À BORIS GLEB
Nº 34 S.A.S. KILL HENRY KISSINGER!
Nº 35 S.A.S. ROULETTE CAMBODGIENNE
Nº 36 S.A.S. FURIE À BELFAST
Nº 37 S.A.S. GUÊPIER EN ANGOLA
Nº 38 S.A.S. LES OTAGES DE TOKYO
Nº 39 S.A.S. L'ORDRE RÈGNE À SANTIAGO
Nº 40 S.A.S. LES SORCIERS DU TAGE
Nº 41 S.A.S. EMBARGO
Nº 42 S.A.S. LE DISPARU DE SINGAPOUR
Nº 43 S.A.S. COMPTE À REBOURS EN RHODÉSIE
Nº 44 S.A.S. MEURTRE À ATHÈNES
Nº 45 S.A.S. LE TRÉSOR DU NÉGUS
Nº 46 S.A.S. PROTECTION POUR TEDDY BEAR
Nº 47 S.A.S. MISSION IMPOSSIBLE EN SOMALIE
Nº 48 S.A.S. MARATHON À SPANISH HARLEM
Nº 49 S.A.S. NAUFRAGE AUX SEYCHELLES
Nº 50 S.A.S. LE PRINTEMPS DE VARSOVIE
Nº 51 S.A.S. LE GARDIEN D'ISRAËL
Nº 52 S.A.S. PANIQUE AU ZAÏRE
Nº 53 S.A.S. CROISADE À MANAGUA
Nº 54 S.A.S. VOIR MALTE ET MOURIR
Nº 55 S.A.S. SHANGHAÏ EXPRESS
Nº 56 S.A.S. OPÉRATION MATADOR
Nº 57 S.A.S. DUEL À BARRANQUILLA
Nº 58 S.A.S. PIÈGE À BUDAPEST
Nº 59 S.A.S. CARNAGE À ABU DHABI
Nº 60 S.A.S. TERREUR À SAN SALVADOR
Nº 61 S.A.S. LE COMPLOT DU CAIRE
Nº 62 S.A.S. VENGEANCE ROMAINE

N° 63 S.A.S. DES ARMES POUR KHARTOUM
N° 64 S.A.S. TORNADE SUR MANILLE
N° 65 S.A.S. LE FUGITIF DE HAMBOURG
N° 66 S.A.S. OBJECTIF REAGAN
N° 67 S.A.S. ROUGE GRENADE
N° 68 S.A.S. COMMANDO SUR TUNIS
N° 69 S.A.S. LE TUEUR DE MIAMI
N° 70 S.A.S. LA FILIÈRE BULGARE
N° 71 S.A.S. AVENTURE AU SURINAM
N° 72 S.A.S. EMBUSCADE A LA KHYBER PASS
N° 73 S.A.S. LE VOL 007 NE RÉPOND PLUS
N° 74 S.A.S. LES FOUS DE BAALBEK
N° 75 S.A.S. LES ENRAGÉS D'AMSTERDAM
N° 76 S.A.S. PUTSCH A OUAGADOUGOU
N° 77 S.A.S. LA BLONDE DE PRÉTORIA
N° 78 S.A.S. LA VEUVE DE L'AYATOLLAH
N° 79 S.A.S. CHASSE A L'HOMME AU PÉROU
N° 80 S.A.S. L'AFFAIRE KIRSANOV
N° 81 S.A.S. MORT A GANDHI
N° 82 S.A.S. DANSE MACABRE A BELGRADE
N° 83 S.A.S. COUP D'ÉTAT AU YEMEN
N° 84 S.A.S. LE PLAN NASSER
N° 85 S.A.S. EMBROUILLES A PANAMA
N° 86 S.A.S. LA MADONE DE STOCKHOLM
N° 87 S.A.S. L'OTAGE D'OMAN
N° 88 S.A.S. ESCALE À GIBRALTAR

L'IRRÉSISTIBLE ASCENSION DE MOHAMMAD REZA, SHAH D'IRAN
LA CHINE S'ÉVEILLE
LA CUISINE APHRODISIAQUE DE S.A.S
PAPILLON ÉPINGLÉ
LES DOSSIERS SECRETS DE LA BRIGADE MONDAINE
LES DOSSIERS ROSES DE LA BRIGADE MONDAINE

AUX ÉDITIONS DU ROCHER

LA MORT AUX CHATS
LES SOUCIS DE SI-SIOU

AUX ÉDITIONS DE VILLIERS

N° 89 S.A.S. AVENTURE EN SIERRA LEONE
N° 90 S.A.S. LA TAUPE DE LANGLEY
N° 91 S.A.S. LES AMAZONES DE PYONGYANG
N° 92 S.A.S. LES TUEURS DE BRUXELLES
N° 93 S.A.S. VISA POUR CUBA
N° 94 S.A.S. ARNAQUE À BRUNEI
N° 95 S.A.S. LOI MARTIALE À KABOUL
N° 96 S.A.S. L'INCONNU DE LENINGRAD
N° 97 S.A.S. CAUCHEMAR EN COLOMBIE
N° 98 S.A.S. CROISADE EN BIRMANIE
N° 99 S.A.S. MISSION À MOSCOU
N° 100 S.A.S. LES CANONS DE BAGDAD
N° 101 S.A.S. LA PISTE DE BRAZZAVILLE
N° 102 S.A.S. LA SOLUTION ROUGE
N° 103 S.A.S. LA VENGEANCE DE SADDAM HUSSEIN
N° 104 S.A.S. MANIP À ZAGREB

LE GUIDE S.A.S. 1989

Photo de la couverture : Michel MOREAU

ISBN : 2 - 7386 - 0277 - 0

ISSN : 0295 - 7604

GÉRARD DE VILLIERS

KGB CONTRE KGB

E D I T I O N S
GERARD *de* VILLIERS

CHAPITRE PREMIER

Elko Krisantem arrêta la Silver Spirit bleu nuit juste en face du perron monumental du palais Tarnowsky dominant la Vistule au nord de Varsovie. Elko descendit aussitôt pour ouvrir la portière à Malko, repartant ensuite en direction du grand parking. La Rolls-Royce s'immobilisa au milieu des Mercedes, des BMW, des Volga et même de plusieurs longues Tchaikas noires, la voiture préférée des apparatchiks soviétiques. Malko rajusta machinalement le nœud papillon de son smoking et monta les quelques marches conduisant à la porte à double battant gardée par plusieurs « gorilles » au teint basané. L'un d'eux examina soigneusement son invitation gravée en lettres d'or, avant de la passer à un aboyeur qui lança aussitôt d'une voix de bronze :

– Son Altesse Sérénissime, le Prince Malko Linge.

En dépit de la puissance de son organe, son annonce se perdit dans le brouhaha du rez-de-chaussée. Juché sur une estrade au milieu de l'immense hall au sol de marbre dont on apercevait à peine le plafond, un orchestre de jazz se démenait pour une poignée de danseurs. Derrière, dans une enfilade de salons éclairés par de somptueux lustres vénitiens, Malko aperçut une foule compacte, agglutinée autour d'un buffet gigantesque. Une nuée de maîtres d'hôtel se faufilaient entre les robes du soir et les smokings. Le brouhaha des conversations arrivait même à couvrir le bruit de la musique.

Laissant sur sa gauche l'escalier majestueux menant au premier étage du palais Tarnowsky, Malko se dirigea vers le salon principal. Avec un petit pincement de jalousie. Samir Moussawi n'avait pas lésiné sur la restauration du vieil édifice. Cela dégoulinait d'or, de lustres de cristaux, de tentures, de meubles de style, de tapis d'Orient. Le milliardaire libanais avait confié au décorateur parisien Claude Dalle la remise en état du palais. Celui-ci y avait travaillé plus d'un an, faisant la navette entre Paris et Varsovie dans son jet. Amenant dans celui-ci les meubles qui manquaient, juste avant la fête, prélevés dans sa collection personnelle. C'était, sur les bords de la Vistule, le palais de Versailles. Fermé pendant quarante-cinq années d'étouffoir communiste, le palais Tarnowsky renaissait de ses cendres, plus luxueux qu'il ne l'avait été. Ironie du sort : par la grâce d'un marchand d'armes libanais devant l'essentiel de sa fortune au régime soviétique! En effet, pour une poignée de zlotys, Samir Moussawi avait racheté au nouveau gouvernement polonais le vieux palais désaffecté dominant la Vistule, fierté du quartier de Mokotow, dans le nord de Varsovie et avait englouti plusieurs millions de dollars pour en faire ce que c'était aujourd'hui.

Malko se faufila jusqu'au buffet. Epoustouflé par la profusion de femmes plus ravissantes les unes que les autres. On parlait beaucoup russe. Pour sa soirée inaugurale, Samir Moussawi avait invité les plus belles cover-girls de Varsovie, mais aussi celles de Moscou, leur offrant le voyage et leurs robes! Malko fut soudain frôlé par une créature moulée dans un long fourreau fuchsia, au type asiatique prononcé, ses longs cheveux noirs réunis en natte descendant jusqu'aux reins. Elle le gratifia d'un long regard aguichant, avant de rejoindre un groupe composé uniquement de femmes à l'exception d'un minet blond presque aussi maquillé qu'elles.

Elle alla se lover contre une blonde à la carrure de lutteur, sanglée dans un bustier doré et une mini-jupe plissée multicolore qui découvrait des cuisses d'athlète de foire. Elle attrapa la brune par sa natte et, moitié riant, moitié sérieuse, amena son visage jusqu'au sien pour un baiser sans équivoque...

Déçu, Malko cueillit sur un plateau une coupe de Dom Pérignon et, le ventre creux, gagna le buffet. Sa montre indiquait onze heures, il avait largement le temps.

Plusieurs vasques de cristal s'alignaient devant lui, remplies de caviar à ras bord.

D'autorité, un maître d'hôtel plongea une louche d'argent dans la plus proche et tendit à Malko une petite montagne de grains noirs.

A côté de chaque vasque, ce dernier en remarqua des plus petites, pleines d'une poudre blanche et brillante. Malko n'avait pas besoin de goûter, il savait ce que c'était : de la cocaïne. Une femme s'approcha, ramassa une pincée de poudre avec son ongle et se l'enfonça dans la narine, s'éloignant aussitôt. Apparemment, cela avait autant de succès que le caviar. A peine libérés du joug communiste, les pays de l'Est imitaient l'Ouest dans ce qu'il avait de plus décadent... Cette fête aurait pu se dérouler à Acapulco, Saint-Tropez ou Beverly Hills... Tout en dégustant son caviar, Malko regarda autour de lui s'il ne voyait pas celui qu'il était venu rencontrer.

Il ne l'aperçut pas mais ne s'en inquiéta pas. Sa montre indiquait onze heures cinq et ce n'était pas encore tout à fait l'heure du rendez-vous.

Le vacarme était infernal, plusieurs orchestres jouant en même temps dans différentes pièces. Adossé à une boiserie, Malko observait les invités de Samir Moussawi.

Soudain, un rythme de lambada échevelé domina le tumulte ambiant, la foule ondulá, comme la mer à l'approche d'un typhon, puis finalement s'écarta devant un groupe déchaîné. Plusieurs musiciens entouraient un homme tout de noir vêtu, qui se démenait, les bras levés vers le ciel comme dans une danse païenne, entouré d'un essaim de ravissantes toutes plus sexy les unes que les autres, qui semblaient n'avoir d'autre rêve que de se frotter quelques instants au danseur pour ce qui sembla à Malko être un coït parfaitement mimé.

Samir Moussawi s'amusait comme un fou. Ses cheveux très noirs implantés récemment se dressaient certes un peu sur sa tête, mais ses yeux sombres, son visage carré, sa mâchoire prognathe et ses épaules massives dégageaient une impression de puissance presque palpable. A près de soixante-dix ans, il dansait avec l'entrain d'un jeune homme. Lui et sa galaxie s'éloignèrent vers un autre salon, sous les regards envieux des créatures qui ne participaient pas à sa sarabande.

Intéressé, Malko le suivit longuement des yeux.

Une belle réussite.

Quinze ans plus tôt, Samir Moussawi n'était encore qu'indicateur du KGB à Beyrouth, chargé d'infiltrer des groupes palestiniens. Et accessoirement, d'en éliminer certains. Tâche dont il s'était acquitté avec zèle. Pour l'en récompenser, son « traitant » lui avait permis de jouer l'intermédiaire pour quelques modestes et discrètes livraisons d'armes à des sympathisants.

Ensuite, le génie libanais avait joué... Samir Moussawi avait su se faire aimer en distribuant judicieusement des commissions des deux côtés, avec une discrétion absolue. Progressivement, il était devenu le principal fournisseur de l'OLP. Gagnant de plus en plus d'argent, il avait eu l'habileté d'en redistribuer assez pour conserver ses amis. Six ans plus tôt, il s'était installé à Varsovie, plaque tournante du trafic d'armes en provenance du bloc de l'Est. Ce que les Soviétiques ne pouvaient ou ne voulaient livrer, les Polonais s'en chargeaient.

Le Libanais avait aménagé un luxueux appartement au dernier étage de l'hôtel *Intercontinental*, allant chercher ses clients à l'aéroport dans une Silver Shadow vert pomme. La seule Rolls-Royce de Varsovie.

La Perestroïka ne l'avait pas pris par surprise, lui permettant simplement d'élargir son marché. Car la CIA avait très vite compris l'utilité de Samir Moussawi. Plusieurs de ses « clients » réclamaient des armes d'origine soviétique. Samir était là pour les fournir, nouant du côté américain quelques solides contacts.

C'est grâce à cette amitié tous azimuts que Malko avait eu son invitation.

Gracieusement, Samir Moussawi avait envoyé à William Sterling, le chef de station de la CIA à Varsovie, une poignée d'invitations en blanc.

Avec l'inauguration de son palais, le Libanais célébrait une excellente nouvelle : ses amis soviétiques venaient de lui confier la commercialisation de leurs surplus d'armement léger! Un coup à gagner plusieurs centaines de millions de dollars. A soixante-huit ans, Samir se demandait s'il aurait jamais le temps de profiter de tout cet argent...

Malko posa son assiette vide et regarda sa montre. Onze heures et demie. L'heure du rendez-vous était passée de quelques minutes.

Mais dans cette foule, il était difficile de se retrouver. Rien qu'au rez-de-chaussée, il devait bien y avoir deux cents personnes. En plus, il n'avait jamais rencontré en chair et en os celui avec lequel il avait rendez-vous : le colonel Igor Fedorovitch Trifanov, travaillant pour le Premier Directorate du KGB, à la ligne « S », celle chargée du contrôle des « clandestins » répartis dans le monde entier. Igor Trifanov était actuellement basé à Vilnius en Lituanie et officiellement était venu à Varsovie pour assister à la fête de Samir Moussawi. Malko, à qui on avait montré une photo, était sûr de le reconnaître. Un front haut, des yeux très bleus, les cheveux clairsemés, la mâchoire lourde, 1,85 m, mince. Il serait bien entendu en civil, costume sombre avec une cravate rouge.

Comme beaucoup de Soviétiques qui ne possédaient pas de smoking.

– Trifanov a insisté pour un contact urgent, avait expliqué William Sterling, le chef de station. C'est un de nos agents à Vilnius qui a arrangé cette rencontre. Trifanov a refusé que je vienne en personne, car je suis trop connu des gens du KGB travaillant à Varsovie.

– Il a quelque chose à vendre?

– Sûrement! Mais il n'a pas voulu dire quoi.

A la suite du putsch d'août 1991, le KGB partait en morceaux. Déchiré entre les gorbatchéviens, les putschistes, les partisans de Boris Eltsine et ceux qui voulaient tout simplement ne pas perdre leur rôle. Au Deuxième Directorate, chargé du contrôle de la population, dans la langue de bois, de la répression des « phénomènes négatifs », c'était la panique. Avec la disparition du parti communiste et le vent de la démocratisation, cette branche-là du KGB était condamnée.

En général, les gens du Premier Directorate, chargés du renseignement à l'extérieur de l'Union Soviétique, continuaient à travailler comme si de rien n'était : il y aurait *toujours* besoin d'un service de renseignement, qu'il travaille pour la Russie ou l'Union Soviétique. Seuls certains de ses officiers compromis dans le putsch avaient demandé l'asile politique à l'Ouest. C'était probablement le cas de ce Trifanov qui devait vouloir recommencer une vie avec un petit viatique...

Malko, se trouvant en Pologne pour une chasse, n'avait pas pu refuser ce service à la CIA.

Quittant le buffet, il alla flâner dans les autres salons, dont les fenêtres donnaient sur une grande terrasse dominant la Vistule. Partout, les invités buvaient, dansaient, flirtaient ou bavardaient. Des orchestres itinérants s'installaient dans un coin, animant tour à tour toutes les pièces de l'énorme demeure. Malko revint sur ses pas. Igor Trifanov ne devait pas tarder.

Près du buffet, il fut brièvement entouré par un

groupe de mannequins soviétiques surexcités qui se jetèrent sur les vasques pleines de cocaïne avant de s'égailler comme des moineaux.

A peine s'étaient-elles perdues dans la foule qu'un homme s'encadra dans la porte du salon, balayant les invités du regard. Le pouls de Malko s'accéléra imperceptiblement : le nouveau venu était athlétique, avait des yeux très bleus, des cheveux blonds clairsemés et arborait une cravate rouge sang sur un costume sombre.

Ce ne pouvait être qu'Igor Trifanov.

Leurs regards se croisèrent et Malko fit quelques pas dans sa direction avec un sourire.

– Igor Trifanov? demanda-t-il lorsqu'il fut plus près.

– *Da.*

– C'est avec moi que vous avez rendez-vous. Vous buvez quelque chose?

– Johnnie Walker, réclama le Soviétique.

Ils se retrouvèrent autour du buffet, serrés dans la foule compacte. Impossible d'engager une conversation sérieuse dans ces conditions... Malko dut se contenter de tendre au colonel du KGB son verre de scotch et de le choquer contre sa coupe de Dom Pérignon.

– Bienvenue en Pologne, dit-il.

Quelques secondes plus tard, son regard fut attiré par une jeune femme en robe de faille rouge très décolletée qui s'évasait en corolle autour de jambes interminables. Fendant la foule avec la grâce d'une fée. Le souffle coupé par sa beauté, Malko observa son visage ovale de madone, mangé par d'immenses yeux en amande gris-bleu, qui s'étiraient jusqu'à ses tempes. Ses cheveux d'un noir de jais étaient tirés en arrière, puis réunis en longue queue de cheval. La grosse bouche, presque trop rouge, altérait par sa sensualité la pureté des traits lisses.

Elle se dirigea vers le buffet et demanda à un maître

d'hôtel un « Cointreau on ice », puis se retourna, frôlant Malko.

Le sourire timide qu'elle lui adressa contrastait avec l'attitude provocante des « créatures » alentour. Son visage se figea soudain alors qu'elle fixait un point derrière Malko. Ce dernier se retourna. L'inconnue brune regardait un homme qui venait de pénétrer dans le salon et fonçait droit sur elle. Petit, presque aussi large que haut, des cheveux bouclés grisonnants, une mâchoire de bouledogue et l'air mauvais.

Les coutures de son smoking semblaient prêtes à éclater et son nœud papillon était tout de travers.

La brune esquissa un mouvement comme si elle voulait se cacher derrière Malko, mais le nouveau venu lui saisit le poignet et l'attira violemment à lui, lançant en russe d'une voix contenue de colère :

– Viens ici, petite pute!

Il passa un bras autour de sa taille et voulut l'entraîner. Le sommet de son crâne arrivait juste à l'épaule de la brune. Assez fort pour que Malko l'entende, il ajouta d'une voix avinée, mais plus douce :

– Il y a un divan qui nous tend les bras, là-haut, ma petite colombe.

Malko examina de plus près l'inconnu. Le smoking en soie, l'énorme gourmette s'enroulant autour de la grosse Rolex, la chevalière avec un diamant gros comme une pièce de 25 kopecks, le langage brutal et l'attitude pleine de grossièreté, tout indiquait un membre de la mafia soviétique... La brune se retourna, avec un regard suppliant.

– *Gospodine!*

Malko dut se faire violence pour ne pas intervenir, mais il se trouvait au palais Tarnowsky en mission pour la CIA, pas pour jouer les Don Quichotte. A côté de lui, Igor Trifanov contemplait la scène, impassible.

Voyant qu'elle n'avait aucun secours à attendre de Malko, la brune rafla d'un geste vif une bouteille de vodka encore à demi pleine et, de toutes ses forces, l'abattit sur la tête de son compagnon.

*
**

Dans le tohu-bohu ambiant, son geste passa pratiquement inaperçu, mais le gros Soviétique s'arrêta net, poussant un rugissement de douleur. La bouteille s'était brisée sous le choc, des éclats lui entaillant le cuir chevelu et un mélange de vodka et de sang coulait sur son visage, lui donnant un aspect effrayant.

– *Souka!* (1) Tu as voulu me tuer, glapit-il.

Il lâcha le poignet de la fille, et, prenant son élan, lui allongea un coup de poing en plein visage. Frappée à la tempe, elle tituba, se jetant littéralement dans les bras de Malko!

Celui-ci manqua s'étaler par terre avec elle. Il réussit à conserver son équilibre et la soutint jusqu'à un fauteuil en bois doré. Prudent, Igor Trifanov s'éloigna de quelques mètres.

Au même moment, un orchestre accompagné d'un groupe de danseurs fit irruption dans le salon, monopolisant l'attention des invités. Malko allait rejoindre Trifanov, espérant que l'incident était clos, lorsque celui qu'il avait baptisé « le mafioso », le visage toujours inondé de sang et de vodka, fonça dans sa direction comme un bulldozer. Il s'arrêta en face de la chaise où s'était écroulée sa victime, plongea la main dans la poche intérieure de son smoking et la ressortit, brandissant un rasoir. Il fit un pas vers la brune, découvrant une rangée de dents éblouissantes dans un rictus haineux.

– Je vais te saigner! gronda-t-il.

Malko arrêta son poignet une fraction de seconde avant qu'il ne balafre la jeune femme. L'homme posa sur lui un regard injecté de sang.

(1) Chienne.

– Hé, *prochovst!* (1) Tire-toi.

C'était, en russe, l'expression la plus méprisante. Malko ne lâcha pas le poignet et dit d'une voix égale :

– Laissez cette jeune femme tranquille. Vous vous conduisez comme une bête sauvage.

L'inconnu lui jeta un regard noir et l'apostropha d'un ton furibond, le tutoyant, à la russe.

– Pourquoi t'intéresses-tu à cette misérable pute! Elle est à moi. Avant, elle se faisait baiser par des marins pour vingt roubles la passe. Et elle ose faire la mijaurée! Lâche-moi immédiatement! Sinon, je t'ouvre le ventre comme un poisson.

Malko décida que la conversation avait assez duré. Utilisant une prise de jui-jitsu, il tordit brutalement le poignet qui tenait le rasoir, faisant tomber l'instrument à terre. Alors, seulement, il lâcha le « mafioso ».

– Allez vous rafraîchir dehors, lança-t-il après avoir expédié le rasoir sous une table d'un coup de pied.

Alertés par l'altercation, trois des agents de sécurité du maître de maison s'étaient rapprochés, observant la scène.

Le « mafioso » restait planté devant la jeune femme, visiblement ivre de rage. Prêt à recommencer. N'écoutant que sa galanterie, Malko aida la fille à se lever. Aussitôt, elle se colla contre lui, affolée.

– Oh, je vous en prie, ne me laissez pas. Il va me tuer.

Malko l'entraîna, lançant au passage aux trois « gorilles » qui surveillaient l'agresseur en train de s'essuyer le visage avec une pochette de soie rouge.

– Empêchez-le de recommencer!

L'inconnue en rouge s'accrocha à son bras, ses merveilleux yeux gris levés sur lui avec une expression suppliante.

(1) Hé, l'homme!

– *Spasiba ! Spasiba !* (1) Sans vous, il m'aurait tuée.

Malko regarda autour de lui. Igor Trifanov s'était noyé dans la foule. Attendant que l'incident soit réglé.

– Qui est-ce ? demanda-t-il.

– Un « spekulantas » (2) ouzbek, dit-elle. Très riche et très puissant.

C'était bien ce que Malko avait pensé : un mafioso soviétique.

De nouveau, il fut frappé par l'extraordinaire beauté de celle qu'il avait sauvée.

– Et vous, comment vous appelez-vous ? demanda-t-il.

– Galina Anastasia Vassiliev... Je...

Ils étaient arrivés à l'entrée du hall.

– Je suis obligé de vous laisser, dit Malko. A tout...

– Oh non, non ! s'exclama la jeune femme. Il va revenir et me tuer.

Cette fois, elle s'accrochait à lui comme une noyée. Malko se dit que la vie était vraiment mal faite.

– Je ne suis pas seul ici, expliqua-t-il.

– Ne me laissez pas, supplia-t-elle, sans paraître entendre.

De mal en pis. Malko fit quelques pas dans le hall, mais réalisa qu'à moins d'un nouveau scandale, il ne se débarrasserait pas de son involontaire conquête. Or, il était hors de question de la faire assister au rendez-vous avec Igor Trifanov.

– Il n'y a pas un endroit où vous seriez en sécurité ? demanda-t-il.

– Allons en haut, suggéra-t-elle, il croira que je suis partie. Mais, surtout, ne me quittez pas.

Son affolement paraissait tel qu'il se dit que tant qu'il ne l'aurait pas casée, il n'aurait pas la paix.

(1) Merci. Merci.
(2) Trafiquant.

– Allons-y! dit-il en l'entraînant vers l'escalier majestueux en marbre montant aux étages supérieurs.

Ils durent enjamber un couple enlacé dans l'ombre du palier du premier, si étroitement emmêlé qu'on avait du mal à discerner leurs activités exactes...

Le vacarme était aussi assourdissant au premier étage qu'au rez-de-chaussée. Au hasard, il poussa une porte, pénétrant dans une pièce baignée d'une lumière rougeâtre où il ne distingua d'abord que des silhouettes floues. Plusieurs musiciens, debout, interprétaient *Otchi tchornie* (1) avec un entrain endiablé.

Au milieu de la pièce, une grande blonde aux cheveux dénoués dansait toute seule, entourée d'un cercle d'hommes et de femmes claquant des mains en cadence. Détail insolite : la blonde était nue jusqu'à la taille, uniquement vêtue d'un « caleçon » multicolore qui la moulait comme un gant de caoutchouc.

Ses seins en poire battaient la mesure et ses hanches ondulaient avec une lenteur provocante pleine de sensualité.

Soudain, un des assistants saisit une bouteille de Moët et Chandon sur un buffet, et commença à en arroser la poitrine de la fille, l'inondant avec des cris joyeux. Elle s'enfuit sous l'averse et termina à plat dos sur un divan, tandis que son tourmenteur achevait de verser la bouteille sur elle. Plusieurs hommes se précipitèrent et commencèrent à lécher le champagne répandu sur elle. D'abord sur ses seins, puis le plus audacieux entreprit même de faire glisser le caleçon trempé, pour continuer plus bas sa dégustation...

Les musiciens en cercle jouaient avec encore plus d'entrain... Parmi ceux qui lappaient le champagne, Malko reconnut avec amusement un général soviétique du complexe militaro-industriel connu pour sa raideur...

Galina lui serra le bras, murmurant à son oreille :

(1) Les Yeux noirs.

– *Ujasno!* (1)

Ils ressortirent, gagnant une autre pièce où un orchestre flamenco se déchaînait. Là, l'ambiance était plus normale et ils trouvèrent un coin tranquille avec un somptueux divan recouvert de brocart de soie argentée, autre création de Claude Dalle, où Galina se laissa tomber.

Malko regarda discrètement sa montre. Le colonel Trifanov devait s'impatienter. Il était temps de prendre congé. Comme si elle avait deviné ses pensées, elle se pencha soudain sur lui, passa un bras autour de sa nuque et murmura avant d'écraser sa bouche contre la sienne : « *Spasiba!* »

Visiblement bien décidée à le remercier sur-le-champ.

(1) Affreux!

CHAPITRE II

Igor Trifanov s'arrêta quelques instants dans un petit salon plus calme que les autres pièces, admirant les boiseries de près de six mètres de haut, en chêne, rehaussées de motifs dorés à la feuille. On se serait cru à la cour de Russie, un siècle plus tôt : Samir Moussawi avait exigé de son décorateur Claude Dalle ce que l'on pouvait avoir de mieux. A elles seules, les boiseries coûtaient le prix d'un pavillon de banlieue... Igor, qui ne possédait qu'un deux pièces acheté 15 000 roubles dans la banlieue de Moscou, était émerveillé.

Il se hasarda quelques instants sur la grande terrasse éclairée par des flambeaux se reflétant sur les eaux sombres de la Vistule, où seuls quelques couples s'adonnaient à un flirt poussé, avant de regagner l'intérieur. Il était temps de reprendre son contact. Une vague inquiétude l'habitait. A première vue, l'idée de retrouver son correspondant de la CIA dans cette fête où se côtoyaient des gens de tous les bords lui avait paru bonne. En effet, dès qu'il mettait les pieds hors d'Union soviétique, il se savait surveillé comme tous les autres officiers du Premier Directorate. Pour eux, la Guerre Froide ne serait jamais terminée... Maintenant, il réalisait que les « Komitetchiks » (1) pullulaient dans cette soirée. Il avait repéré un général du Premier Directorate

(1) Gens du KGB.

entouré d'une douzaine de filles toutes plus belles les unes que les autres, dont l'une portait en travers de sa robe une écharpe annonçant qu'elle avait été élue Miss KGB 1991...

Une rousse pulpeuse dont les yeux nageaient dans le sperme et dont les seins semblaient prêts à faire exploser la robe bleu électrique.

Dans ce domaine aussi, l'Est bousculait les traditions au grand galop. Comme si l'URSS se mettait à singer l'Amérique.

Il revint dans le grand salon et chercha des yeux son correspondant de la CIA, sans le voir.

– Champagne, *gospodine*?

La voix du serveur le fit sursauter. Décidément, il était trop nerveux. Il vida machinalement sa coupe de Dom Pérignon. C'était autre chose que le champagne de Crimée des sauteries moscovites... Le champagne n'apaisa pas son anxiété. Lui et ceux qu'il représentait étaient en danger de mort. Il avait hâte de retrouver son contact, car il lui semblait qu'après avoir partagé son secret, il serait plus en sécurité.

Soudain, une blonde sculpturale, moulée dans un long fourreau en paillettes argent, rétréci vers le bas, si étroit qu'il se demanda comment elle arrivait à marcher, s'approcha de lui.

– Tu sais où se trouve la piscine? demanda-t-elle en russe d'une voix plutôt pâteuse.

Igor Trifanov eut du mal à détacher le regard de sa poitrine inouïe – tout ce que soulignait sa robe – pour plonger dans ses yeux verts à l'expression trouble.

– La piscine? Quelle piscine?

Il n'avait même pas imaginé qu'il puisse y avoir une piscine au palais Tarnowsky.

– Je ne sais pas, avoua-t-il enfin. Peut-être sur la terrasse.

La blonde éclata d'un rire un peu trop fort et lui prit le bras, s'appuyant contre lui.

– Tu vas m'aider à marcher, fit-elle, j'ai un mal fou,

j'ai l'impression que ces vieux planchers sont gondolés.

Devant cette mauvaise foi d'ivrogne, Igor Trifanov retint un sourire. Le parfum de sa voisine chatouillait agréablement ses narines et il ne pouvait pas s'empêcher de loucher sur ses seins. Après tout, cela le détendrait, quelques minutes avec cette splendide créature qui devait avoir abusé de la vodka.

– Comment t'appelles-tu? demanda-t-elle.

– Igor Fedorovitch.

– Moi, c'est Katia Valentina. On m'a donné un billet d'avion pour venir de Moscou juste pour cette fête, et ma robe aussi, mais j'espère bien que quelqu'un m'empêchera de repartir.

– Comment? ne put s'empêcher de demander Igor Trifanov.

– En me gardant avec lui, bien sûr, lança la jeune femme. J'en ai assez de la vie de merde qu'on a chez nous! Tu habites Moscou?

– Non, fit prudemment Igor Trifanov.

Apercevant un serveur qui portait un plateau avec une bouteille de vodka, Katia fit un brusque écart, rafla la bouteille d'un geste preste, enfourna le goulot dans sa belle bouche rouge et lampa une rasade imposante d'un seul trait... En bon Russe, Igor apprécia. Le regard encore plus brouillé, elle s'appuya sur lui et lança avec une détermination avinée :

– Alors, on va la chercher, cette piscine?

L'officier du KGB n'eut qu'une brève hésitation. Cette éblouissante créature le fascinait. Une fois à la piscine, il l'abandonnerait à son sort. Bien que... La possibilité d'une aventure éclair avec la pulpeuse Katia commençait à faire son chemin dans sa tête.

– On va commencer par la terrasse, proposa-t-il.

On y grelottait et ils ne trouvèrent pas de piscine. Un homme pressait une femme contre la rambarde de pierre dominant la Vistule, une main sous sa robe. Katia ricana.

– Ils feraient mieux d'aller au chaud.

Elle se semblait pas sentir le froid. Ils retournèrent à l'intérieur. L'orchestre de jazz s'était déplacé dans le petit salon et jouait un slow langoureux. Katia pivota, enlaçant Igor Trifanov, oubliant provisoirement la piscine.

– J'adore cette musique! roucoula-t-elle.

Elle dansait comme une vraie salope, le buste en avant, incrustant contre lui la masse ferme de ses seins. Sous ses doigts la chair élastique de ses hanches n'était protégée que par les paillettes. Il s'embrasa en un clin d'œil.

S'en rendant compte, Katia leva un regard amusé et, avec un sourire complice, posa brièvement ses lèvres sur les siennes.

Presque aussitôt, elle s'écarta, interrompant leur danse, et prit Igor Trifanov par la main, l'entraînant vers le hall.

– Je veux trouver cette piscine! J'ai vraiment envie de me baigner.

Tandis qu'ils fendaient la foule, Igor Trifanov intercepta un des garçons.

– Où se trouve la piscine? demanda-t-il.

– Au sous-sol, expliqua le garçon, on y parvient par un escalier qui part du hall, sur la droite.

Katia avait entendu. Elle le tira joyeusement dans la direction indiquée.

– *Davai paidiom!* (1)

Igor ne pouvait plus détacher les yeux de la croupe incendiaire moulée par les paillettes argent. Il commençait à flipper sérieusement... Ils trouvèrent difficilement le petit escalier en colimaçon dissimulé derrière une colonne et s'y engouffrèrent.

Katia se retourna, aperçut une clef dans la serrure et, avec un sourire espiègle, la tourna, verrouillant la porte.

(1) Allons-y!

– Je veux être tranquille pour me baigner! lança-t-elle.

Cette précaution parut d'excellent augure à Igor Trifanov qui se dit qu'il allait peut-être avoir le temps d'une agréable récréation avant les choses sérieuses.

Ils débouchèrent dans un endroit étrange. Une énorme salle très basse de plafond, où presque tout l'espace était occupé par une piscine rectangulaire. Des fauteuils et des matelas étaient éparpillés tout autour, les murs recouverts de peintures d'animaux sauvages et de palmiers et la température devait avoisiner les trente degrés.

Il ne manquait que le soleil.

A cause du plafond très bas, les voix résonnaient bizarrement. Katia entraîna l'officier du KGB vers le fond où plusieurs fauteuils en osier étaient disposés sur une fausse prairie en plastique. On n'entendait plus les bruits de la fête, c'était comme un autre monde. Igor Trifanov examina les lieux machinalement. Sur la gauche se trouvaient des cabines de déshabillage et un sauna. Ce serait parfait pour culbuter rapidement sa conquête. Evidemment, avec son fourreau hyper ajusté, ce n'était pas évident. Il se sentait un peu coupable d'avoir abandonné son contact pour Katia et se jura de ne pas s'attarder. Justement la jeune femme l'observait, une lueur trouble dans ses grands yeux verts. Il baissa son regard sur ses seins qui palpitaient hors de la robe, lui expédiant un signal muet mais parfaitement explicite.

– Tu penses à *ça*, hein! fit-elle d'une voix changée.

Ça – *sto*. Les Russes n'aimaient pas prononcer de mots crus... Encouragé, Igor Trifanov l'attira à lui et cette fois ce fut l'embrasement! Elle se frottait comme une chatte en chaleur, allumée par la vodka, tandis qu'il lui faisait courir ses mains partout, palpant avidement ses seins, puis ses hanches et sa croupe. Les paillettes collaient tellement à sa peau qu'il avait l'impression de toucher une carapace souple. Lorsqu'il glissa une main entre leurs deux corps et la plaqua sur son pubis, Katia poussa une sorte de gémissement rauque et empoigna à son tour à travers son pantalon le membre raidi de l'officier du KGB, le serrant à lui faire mal. Ils oscillaient dangereusement au bord de la piscine.

Avec un rire aigu, Katia se dégagea. Elle semblait bien avoir abandonné son projet de baignade. Igor la rattrapa, l'appuyant contre le mur, et tenta de remonter son fourreau. Pratiquement impossible... Il s'acharna comme un collégien, ne réussissant qu'à arracher quelques paillettes. Katia éclata de rire.

– Pour toi, c'est plus facile!

Joignant le geste à la parole, elle vint facilement à bout de la fermeture du pantalon. Dégageant un membre congestionné qu'elle acheva de mener au bord de l'explosion en quelques coups de poignet aussi décidés qu'habiles. Le Soviétique grognait, haletait, se tortillait pour lui échapper. C'était trop frustrant d'avoir cette somptueuse femelle à portée de la main et de se contenter de cela.

Comme si elle avait compris ses pensées, Katia s'interrompit.

– Viens, dit-elle.

Igor Trifanov se laissa entraîner jusqu'à un des deux fauteuils d'osier où Katia le fit tomber. Debout en face de lui, elle le toisa ironiquement, le ventre bombé en avant, les seins offerts, puis son regard s'abaissa.

– Tu es bien allumé! remarqua-t-elle avec fierté.

Il n'avait plus aucune notion du lieu où il se trouvait. Pour lui la fête était à des années-lumière. Il ne voyait plus que les paillettes argentées de la robe, cherchant à deviner le sexe sous le renflement du tissu. Avec une lenteur exaspérante, Katia attira un coussin à elle et se laissa tomber dessus à genoux, juste en face du fauteuil. Son regard ne quitta celui d'Igor qu'au moment où sa bouche l'engloutit d'abord délicatement, puis si profondément qu'il heurta le fond de son palais.

Fiévreusement, il se mit à lui pétrir les seins, les

extirpant presque entièrement de leur gaine de paillettes.

Tout ce qu'il pouvait obtenir.

Puis, les yeux clos, il s'abandonna. Même s'il ne revoyait jamais Katia, il s'en souviendrait le restant de ses jours. Cela lui parut un bon présage pour son rendez-vous. Il se concentra sur l'exquise sensation.

Malko luttait courageusement contre une pieuvre parfumée. Galina, à la seconde où ils s'étaient installés sur ce canapé, s'était mise à se comporter comme une guenon en chaleur, sans souci des gens qui les entouraient. Ses mains volaient autour de Malko, s'infiltrant partout, défaisant les boutons de sa chemise de smoking, arrivant à se faufiler beaucoup plus bas.

Sa robe de faille rouge avait remonté, découvrant ses cuisses très haut, au-dessus de ses bas, mais elle n'en avait cure. Elle prit une main de Malko, la plaquant contre sa poitrine, le mordit dans le cou, puis revint entre ses jambes, entreprenant carrément de lui ôter son pantalon! Le visage de madone s'était transformé, avait pris des couleurs, la bouche semblait avoir doublé de volume. Rageusement, elle descendit son balconnet, libérant deux seins pointus et fermes...

Un homme, venu s'asseoir près d'eux, la contemplait, tétanisé.

Katia colla sa bouche à l'oreille de Malko.

– *Davai nou idi!* (1)

Sa voix tremblait d'excitation. Malko dut faire appel à toute sa volonté pour la repousser. Dépoitraillée, déchaînée, Galina était le fantasme impossible de n'importe quel homme. Mais d'abord, il n'avait pas envie de lui faire l'amour devant une douzaine de personnes. Les

(1) Viens!

danseurs de flamenco martelaient le sol à quelques mètres d'eux, sans parler des autres spectateurs.

Ensuite, Igor Trifanov devait commencer à s'étonner de son absence. Et, après une étreinte, même brève, il aurait encore plus de mal à se débarrasser de Galina...

Il réussit à la stopper et lui dit à voix basse :

– Je vois que vous n'avez plus peur. Il faut absolument que je rejoigne quelqu'un en bas. Je reviendrai ensuite vous chercher et nous aurons toute la nuit pour nous.

– Non! Je viens avec toi.

– Impossible, c'est une femme, mentit Malko.

Il se mit debout, se rajustant tant bien que mal après la tornade. Se disant que la CIA récompensait bien mal son héroïsme. Galina lui adressa un regard suppliant de ses admirables yeux gris.

– Tu reviens vraiment?

– Bien sûr, affirma Malko.

Son affaire réglée avec Igor Trifanov, rien ne l'empêchait de terminer la nuit avec cette somptueuse créature. Rarement, il en avait croisé d'aussi belle. Et la fougue toute slave qu'elle montrait était de bon augure. Il se pencha pour effleurer ses lèvres et s'éloigna vivement.

Avant de quitter la pièce, il se retourna et aperçut Galina en train de faire rentrer ses seins dans sa robe. Elle lui envoya un baiser puis les danseurs de flamenco la cachèrent à sa vue.

La tenue des invités se relâchait fâcheusement. Partout des couples flirtaient sans vergogne, un homme jeune et beau errait dans le hall, une bouteille de vodka vide à la main, tel Diogène échappé de son tonneau. Malko alla au buffet, n'aperçut pas Igor Trifanov, parcourut rapidement les salons et revint à son point de départ.

Intrigué.

Où était passé l'officier du KGB?

*
**

Piotr le Letton, accroupi sur les lattes de bois du sauna, sentait l'ankylose le gagner. Ses muscles étaient pris de crampes horriblement douloureuses et il se mordait les lèvres pour ne pas crier. La masse impressionnante de ses cent vingt kilos de muscles était trop importante pour le local exigu. Sa puissance physique était, hélas, inversement proportionnelle à celle de son cerveau.

Pour l'instant, toutes ses pensées se concentraient sur l'espace qu'il apercevait par le battant entrouvert. Il ne fallait surtout pas qu'il manque son intervention.

Il avait toujours peur de mal exécuter les ordres. Or, ceux-ci conditionnaient sa survie. D'abord au cirque où il servait de socle vivant à une équipe d'équilibristes, en installant dix sur ses épaules! Puis au camp 385, dans l'Oural près de Perm, où le KGB l'avait fait déporter à la suite d'une bagarre dans un bar de Riga où il avait écrasé la tête d'un sous-officier de l'Armée rouge qui se moquait de lui... C'est au camp 385 qu'il avait été conditionné. Sa force herculéenne le mettait à l'abri de pas mal de brimades et même les gardiens des « zeks » (1) n'osaient pas se frotter à lui. D'une seule main, il pouvait les casser en deux.

Alors ils avaient trouvé un moyen particulièrement sadique de le torturer. Au lieu de lui confier des travaux manuels qui auraient été un jeu d'enfant pour lui, on l'avait affecté aux réparations de précision. Les gardiens se tordaient de rire en le voyant essayer de mettre dans leur trou de minuscules vis qui disparaissaient dans ses mains énormes. Comme il n'arrivait jamais à tenir la cadence, il était puni. Moins de nourriture, des heures de cachot, pas de lettres de sa famille. Il devenait fou. Fou de désespoir, de frustration, de faim aussi.

(1) Déportés.

Un jour où son gardien apportait à l'atelier un tas de réveils à monter en un temps record, il s'était jeté sur lui sans un mot comme un fauve. L'autre n'avait pas eu le temps de saisir son Tokarev. D'une seule main, Piotr le Letton lui avait tordu le cou comme à un poulet. Ensuite, il avait continué à s'acharner sur lui, le piétinant comme un buffle, lui écrasant le thorax, s'acharnant tellement que les matières fecales lui remontaient par la bouche... Après cet incident, Piotr le Letton s'était retrouvé dans un trou noir creusé à même le sol et il y serait mort de faim selon les souhaits des gardiens s'il n'y avait pas eu une inspection du camp par un général du KGB. On lui avait raconté l'histoire de Piotr et il avait demandé à le voir. Enchaîné comme un athlète de fête foraine, le Letton avait comparu devant lui. Il n'avait pas mangé depuis deux jours et tenait à peine sur ses jambes. Le général lui avait demandé sèchement :

– Tu as envie de vivre?

– *Da, da, vache blogorodie* (1), avait murmuré Piotr le Letton.

Le général ne s'était pas formalisé de cette appelation digne de l'Ancien Régime.

– Très bien, avait-il dit. Je t'emmène avec moi. Désormais tu obéiras sans discuter aux ordres que je te donnerai, moi ou ceux que je te désignerai. Si, une seule fois, tu désobéis, tu reviendras ici. Et tu sais ce qui t'y attends...

Depuis, Piotr le Letton obéissait. Aveuglément.

Avec, dans un coin de sa tête, la terreur des vis minuscules, trop petites pour ses grandes mains.

Retenant son souffle, il entrebâilla un peu plus la porte du sauna, observa ce qui se passait et, appliquant ce qui était prévu, commença à se déplier hors de sa cachette.

(1) Votre Honneur.

*
**

Igor Fedorovitch Trifanov sentait la sève monter de ses reins. La bouche de Katia était vraiment la huitième merveille du monde. Il ouvrit les yeux pour jouir de la beauté du visage de sa fellatrice mais ne profita du spectacle qu'une fraction de seconde.

Deux mains surgies de nulle part se refermèrent autour de son cou, des pouces énormes lui appuyant sur la carotide. Il voulut se lever, mais il semblait soudé au fauteuil. La caresse chaude autour de son sexe avait cessé. Son cerveau privé d'irrigation sanguine cessa de fonctionner. Avant qu'un voile noir passe devant ses yeux, il distingua vaguement la silhouette de Katia qui se relevait.

Lorsqu'il revint à lui, il voulut bouger et réalisa tout de suite qu'il ne faisait plus qu'un avec le fauteuil, attaché comme un saucisson par une fine cordelette blanche. Il ne pouvait même pas se pencher en avant. Bien campée sur ses hauts talons, Katia le regardait en souriant, la bouche encore barbouillée de rouge. A côté d'elle, se tenait une sorte de bête préhistorique, un homme de plus d'un mètre quatre-vingt-dix dont les cheveux blonds commençaient pratiquement aux sourcils, à la mâchoire massive, au regard inexpressif, les bras le long du corps. Une montagne de viande.

– Qu'est-ce que...?

Katia lui adressa un sourire cruel.

– Ne te plains pas, Igor Fedorovitch! Avant de mourir, tu as eu droit à des moments extrêmement agréables, n'est-ce pas?

L'officier du KGB secoua la tête, étourdi, abasourdi.

– Mais qui es-tu? Que veux-tu?

Katia lui jeta un regard plein de mépris.

– Tu as eu tort de vouloir nous vendre aux Américains, dit-elle.

Igor Trifanov poussa un hurlement de terreur. Le géant venait de soulever son fauteuil sans peine. Il fit un pas vers le bord de la piscine, le tint quelques secondes au-dessus de la surface avant de le laisser tomber, à l'endroit le plus profond. L'eau enveloppa Igor Fedorovitch Trifanov d'un linceul tiède, et, entraîné par le poids du fauteuil, coula jusqu'au fond. Désespérément, il tenta alors de défaire ses liens, retenant l'air dans ses poumons jusqu'à l'extrême limite. Il parvint à tenir presque deux minutes puis, les poumons prêts à éclater, il finit par ouvrir la bouche.

Malko déboula dans le hall et regarda autour de lui pour la centième fois. Il venait de parcourir tout le palais Tarnowsky sans trouver Igor Trifanov! Cela lui semblait impossible que le Soviétique soit parti sans lui parler. La pulpeuse Galina s'était évaporée, elle aussi, mais c'était moins étonnant. Dans l'état où il l'avait laissée, elle avait dû se faire draguer et devait occuper une des chambres fermées à clef du second étage.

Soudain, il aperçut une porte fermée dans le hall. Il avisa aussitôt un des garçons.

– Sur quoi cette porte donne-t-elle?

– Sur la piscine, répondit l'autre.

Malko allait pousser la porte lorsqu'elle s'ouvrit sur une sculpturale blonde moulée dans un fourreau de paillettes argentées. L'entrée était si étroite qu'ils se frôlèrent face à face et qu'il put admirer son décolleté vertigineux.

– *Pojoloniska!* (1) dit-elle les yeux baissés, d'une voix grave et musicale.

– *Spasiba*, répondit Malko.

Quelques instants plus tard, il débouchait au bord de la piscine.

(1) Je vous en prie.

Personne. Il fit le tour, appela, et découvrit, à côté du vestiaire, une porte donnant sur un couloir qu'il suivit. Celui-ci débouchait dans le jardin à côté du parking. Il revint à la piscine, intrigué.

Où donc était Igor Fedorovitch Trifanov?

C'est presque par hasard qu'il le découvrit, en baissant les yeux vers la surface de l'eau. Son premier réflexe fut de sauter dans la piscine pour tenter de secourir le Soviétique. Seulement plusieurs minutes s'étaient écoulées depuis l'arrivée de Malko... L'autre, à moins d'être un poisson, n'avait pas pu survivre. Malko comprit très vite ce qui s'était passé. Les cordelettes qui attachaient l'officier du KGB au fauteuil se distinguaient nettement. Il avait été assassiné d'une façon particulièrement cruelle et spectaculaire. Un message probablement destiné à Malko. Ce dernier sentit la rage l'envahir. Tout ce qui s'était passé depuis son arrivée prenait soudain un sens étrange.

Comme un fou, il se rua dans l'escalier débouchant dans le hall. La blonde! Il fallait retrouver la blonde aux paillettes. Il commença son exploration par le rez-de-chaussée et la terrasse. Partout, il se heurtait à des couples enlacés qui ne s'apercevaient même pas de sa présence. Les orchestres jouaient toujours et quelques affamés s'attardaient au buffet.

Il fonça dans l'escalier du premier étage. Au moment où il arrivait en haut, la lumière s'éteignit brusquement et il trébucha au milieu des rires et des exclamations faussement apeurées.

Que se passait-il?

Une lueur multicolore filtrant à travers une grande baie lui répondit : le feu d'artifice commençait! La rage au ventre, il continua son exploration à tâtons, au milieu des explosions, des cris de joie. Il termina par la terrasse où s'étaient agglutinés les invités en dépit du froid. Mais dans la pénombre, c'était pratiquement impossible de reconnaître quelqu'un...

La lumière revint une demi-heure plus tard.

Par acquit de conscience, Malko parcourut encore tout le palais. En vain. La blonde de la piscine, la superbe Galina et même le mafioso soûl avaient disparu, s'étaient évaporés comme les personnages d'un théâtre d'ombres.

Seul restait au fond de la piscine du palais Tarnowsky Igor Fedorovitch Trifanov, avec son secret.

***

– Arrête-toi là !

Katia désignait à Piotr le Letton une station-service fermée, à droite de l'autoroute de Minsk, en pleine campagne, au-delà de la frontière soviéto-polonaise, qu'ils avaient franchi une demi-heure plus tôt. La jeune femme sortit de la Volga, toujours en robe du soir, et lança à Piotr.

– Défais ma fermeture dans le dos.

Il quitta son volant et s'approcha, tâtonnant avec ses grosses mains jusqu'à ce qu'un crissement doux trouble le silence. D'un mouvement d'épaule gracieux, Katia se débarrassa de sa robe et apparut nue à l'exception d'un slip de dentelle noir. Le froid durcissait les pointes de ses seins. Elle se retourna. Piotr la contemplait en silence. La vue de la bosse monstrueuse qui déformait son jeans embrasa Katia d'un seul coup.

– Tu as bien travaillé ce soir, remarqua-t-elle d'une voix douce.

La pomme d'Adam de Piotr monta et descendit plusieurs fois avant qu'il puisse articuler :

– *Spasiba, spasiba.*

Katia bascula brutalement, s'approchant de lui.

– Je crois que tu mérites une récompense, fit-elle, mais jamais il ne faudra en parler. A personne.

Quand elle prononça les derniers mots, elle était déjà en train de défaire le jeans. La taille de ce qui en jaillit lui assécha la gorge. C'était le sexe le plus gros qu'elle ait jamais vu. Piotr soufflait comme un phoque. Brusquement ses mains se refermèrent sur les hanches nues, et il repoussa Katia contre la Volga. Quand elle sentit le métal de l'aile contre son dos, elle se laissa glisser en arrière. Le contact de la tôle froide contre sa peau fut balayé par une sensation qui l'inonda instantanément. Piotr avait relevé ses jambes, l'arrachant du sol et guidait son incroyable organe entre ses cuisses.

La dentelle se distendit et d'une poussée, il pénétra en elle. Un second coup de reins et le membre d'étalon acheva de l'envahir, butant contre ses parois intimes. Jamais Katia n'avait ressenti une telle sensation de plénitude. Piotr recula un peu et, d'un élan féroce, s'enfonça de nouveau, encore plus loin! Katia eut l'impression que quelque chose craquait dans son ventre. Elle délirait, vivant son fantasme le plus secret. Ce à quoi elle pensait en excitant Igor Trifanov. Jamais elle ne retrouverait une occasion aussi discrète de se donner à Piotr. Ce dernier se déchaînait, la soulevant du capot, l'empalant avec une violence démente. Katia se mit à crier, à geindre, à hoqueter, jusqu'au moment où Piotr explosa en ahanant comme une bête.

Il leur fallut plusieurs minutes pour retrouver des sensations normales. Katia avait l'impression d'avoir une énorme cavité au milieu du ventre. Penaud, son éphémère amant se rajusta puis alla se remettre au volant. Elle passa un pull et un jeans avant de reprendre sa place à l'arrière. Ils avaient encore près de trois heures de route.

CHAPITRE III

– Le coup était bien monté, annonça sombrement William Sterling, le chef de station de la CIA à Varsovie, à voix basse pour que les gens des tables voisines ne puissent l'entendre. On a suivi Igor Trifanov depuis Vilnius et on n'a frappé qu'après être certain qu'il allait prendre contact avec vous.

– Trifanov était un professionnel, objecta Malko. Il ne s'est douté de rien? Il savait pourtant qu'il prenait un risque sérieux.

William Sterling but une gorgée de son Johnnie Walker avant de répondre. Ils se trouvaient au *Willanow*, un des multiples restaurants installés autour de la Rynek St Miasta, dans les jolies maisons baroques reconstruites à l'identique après la destruction du vieux Varsovie par les nazis. Seuls, quelques remparts de la vieille ville avaient échappé à la rage de destruction nazie. Le restaurant se trouvait au premier étage d'un immeuble ressemblant à un décor de théâtre.

Des nuées de touristes flânaient à travers les éventaires des peintres installés sur les pavés de la charmante vieille place. La Pologne avait bien changé! Il y avait du caviar, le zloty était enfin convertible et il se heurtait à chaque coin de rue à des superbes Polonaises. Pas aussi belles pourtant que l'étrange Galina Vassiliev.

– Qu'avez-vous appris de plus? demanda-t-il.

– Les Services polonais collaborent avec nous maintenant, expliqua l'Américain. Ils ont surveillé la petite sauterie de Samir Moussawi car il s'y trouvait pas mal de clients à eux. Donc, les voitures venues de Russie. Il n'y en avait pas des masses, car le Libanais avait loué un charter à l'Aeroflot, plein de putes moscovites. La plupart sont encore à Varsovie dans le lit de leur protecteur. Par contre, nos homologues polonais ont repéré deux voitures qui nous intéressent, au point de passage de Brest-Litovsk, à la frontière entre la Pologne et la Biélorussie, à 200 kilomètres à l'est de Varsovie.

– Comment savez-vous que cela nous concerne?

– L'heure... Les invités de Samir Moussawi qui ont repassé la frontière l'ont fait vers huit heures du matin, après être restés au palais Tarnowsky jusqu'à l'aube. Les deux voitures dont je vous parle se sont présentées à deux heures du matin. Donc, leurs occupants sont partis de Varsovie vers minuit.

Juste au moment du feu d'artifice donné par le Libanais...

– Il y avait une Volga crème avec deux personnes à bord, continua l'Américain. Un homme et une femme. Précédée par une Tchaika conduite par un chauffeur. A l'arrière se trouvait un couple qui n'avait pas l'air de s'ennuyer. Les deux véhicules étaient immatriculés en Lituanie. La Volga à Vilnius, la Tchaika à Klaipeda...

– Comment êtes-vous certain qu'il s'agit de l'équipe qui a éliminé Igor Tifanov?

– Les deux femmes étaient en robe du soir. Celle qui se trouvait dans la Volga a montré aux gardes-frontière soviétiques un laissez-passer du KGB de Minsk. L'autre avait une plaque spéciale qui lui évitait tout contrôle.

Malko acheva son caviar. Amer. Il s'était bien fait avoir. La douce Galina était vraisemblablement repartie avec son « bourreau »... L'occupante de la Volga devait être la pulpeuse blonde qu'il avait croisée dans l'escalier de la piscine. Un commando au complet... L'action avait été parfaitement coordonnée. Pendant qu'on éloignait Malko, on assassinait l'officier du KGB. Maintenant, il réalisait que l'incident avec Galina avait pris place *après* qu'il avait eu établi le contact avec Igor Trifanov.

– Que voulait vous révéler Trifanov? demanda-t-il.

William Sterling eut un geste d'impuissance.

– Sûrement quelque chose d'important. Après ce qui est arrivé, je me dis que son offre devait *vraiment* être intéressante.

Un ange passa, drapé dans un drapeau russe. Le métier de défecteur n'avait jamais été une profession d'avenir. Le putsch du 19 août avait pourtant révélé de nouvelles vocations. Entre une cellule à la Loubianka et une villa à Miami, on pouvait légitimement hésiter.

– On risque de ne jamais savoir ce que Trifanov avait à offrir, remarqua Malko. On n'a rien trouvé sur son corps?

– Rien. Et nous sommes les seuls à être certains qu'il a été assassiné.

– Comment cela?

William Sterling émit un discret ricanement.

– Dès que Samir Moussawi a été averti qu'il y avait un cadavre au fond de sa piscine, il l'a fait repêcher par son personnel, l'a détaché de son fauteuil pour le remettre à la flotte et prévenir *ensuite* la police polonaise... Officiellement, ce n'est qu'un ivrogne qui a fait un faux pas...

– Moussawi n'a pas été interrogé?

– Ici, à Varsovie, on n'interroge pas Mr. Moussawi, expliqua William Sterling. On *bavarde* avec lui. Il a déclaré à la police qu'il avait envoyé des centaines d'invitations et qu'il ne connaissait pas personnellement la plupart des gens qui se trouvaient là.

– Vous le croyez?

– C'est possible et je suis persuadé qu'il n'est pas mêlé à ce meurtre.

– Donc, notre affaire s'arrête là, conclut Malko.

– Non, affirma l'Américain. Igor Trifanov était l'envoyé de la personne qui, à l'origine, avait contacté notre agent et qui ne pouvait pas se déplacer. Un certain Boris Glaser, également membre du KGB lituanien. Un vieux de la vieille. C'est lui qui détient l'information. Et c'est à lui que vous allez rendre visite, conclut-il paisiblement.

– En Lituanie?

– Bien sûr! Vous ne risquez plus rien maintenant en Union soviétique. On s'embrasse sur la bouche avec nos homologues! Une de nos délégations a été visiter le « Centre » de Moscou, la semaine dernière. Bientôt, ils vont nous rendre visite à Langley. En Lituanie, c'est encore mieux : le nouveau gouvernement indépendantiste de Vytautas Landsbergis a interdit toutes les activités du KGB depuis le 23 août dernier.

– Mais il y a encore 100 000 soldats soviétiques là-bas, remarqua Malko.

Après des années passées à lutter contre le KGB et le communisme, il avait, mentalement, du mal à se faire à la nouvelle situation.

– Exact, reconnut l'Américain. Mais vous bénéficierez du soutien logistique d'une délégation de Langley en train d'établir un accord de coopération avec le gouvernement Landsbergis. Bientôt nous aurons une « station » à Vilnius, qui collaborera avec les nouveaux services lituaniens.

– Si la situation est tellement idyllique, remarqua Malko, pourquoi Igor Trifanov a-t-il eu besoin de venir à Varsovie pour faire sa proposition?

William Sterling avala son café sans sucre avec une grimace. La Pologne manquait encore de beaucoup de choses.

– Boris Glaser a contacté le chef de notre délégation à Vilnius, James Pricewater. Lui est là-bas pour négocier, pas pour traiter des défecteurs. Il m'a transmis l'information. Vous reprenez le flambeau.

L'Américain déposa une liasse épaisse de zlotys pour régler l'addition. Au taux de 11 000 zlotys pour un dollar, la moindre dépense se chiffrait en millions...

– Venez, on va à l'ambassade, annonça-t-il.

– Pourquoi faire?

– Nous occuper de votre visa.

– Il y a un consulat lituanien?

– De votre visa *soviétique*, précisa William Sterling. Il n'y a que deux vols par semaine pour Vilnius qui sont parfois annulés au dernier moment. Le prochain est dans trois jours. Vous allez donc partir par la route. Et comme vous traverserez la Biélorussie, vous suivrez le même chemin que les assassins présumés d'Igor Trifanov.

– Avec ma Rolls? s'exclama Malko, horrifié.

– Non. Si vous tombiez en panne, ce serait un *vrai* problème. Je vais vous donner une Mercedes.

Un quart d'heure plus tard, ils arrivèrent allée Ujazdowskie, à l'ambassade des Etats-Unis.

– Le consul soviétique est devenu un copain, expliqua William Sterling. Nous avons fait un deal. Il me donne des visas, et je lui en donne. On ne se pose pas de questions. Pour chaque visa, il palpe deux cents dollars. Vous aurez le vôtre dans la journée et vous pourrez partir demain matin.

Encore un changement inouï.

– Où vais-je trouver ce Boris Glaser, à Vilnius?

– James Pricewater a un moyen de le contacter. En plus, nous avons un bon « stringer » là-bas. Un journaliste lituanien correspondant de la revue *Sovietskaïa Torgorlia*, Vitas Kudaba. Je vais vous donner ses coordonnées.

– Il me fournira une arme? Après ce qui est arrivé chez Samir Moussawi...

– Emportez votre pistolet extra-plat. Par la route, il n'y a aucun contrôle pour les étrangers... A Vilnius, nous n'avons ni ambassade ni « station ». Vous serez livré à vous-même.

– Et les communications?

– Tout sera en clair, malheureusement, et le téléphone ne fonctionne pas bien. Il paraît que les Lituaniens ont démantelé les systèmes d'écoute du KGB. Vous serez donc relativement tranquille... Je vais vous briefer sur quelques trucs pratiques.

*
**

Sans même regarder Malko, le garde-frontière soviétique enfermé dans sa guérite vitrée mit de côté les trois briquets et la cartouche de Marlboro que Malko venait de poser avec son passeport, et commença à jongler avec ses tampons.

Il avait passé Terespol, dernière ville polonaise et se trouvait dans le no man's land entre les deux pays. Grâce aux indications de William Sterling il avait pris la « bonne » file, doublant les dizaines de voitures particulières et de bus qui faisaient la queue au poste-frontière.

Quelques gardes-frontière aux parements verts, très jeunes, les faisaient passer au compte-gouttes.

Le garde-frontière lui rendit son passeport et Malko gagna sa voiture. Puissamment motivé par un billet de cinq dollars, le douanier soviétique fit avancer la Mercedes 190 en priorité au-dessus d'une fosse pour s'assurer que rien n'était accroché sous la carrosserie, tira un petit tampon rond de sa poche et l'appliqua sur le formulaire de Malko.

– *Spasiba, dosvidania,* (1) dit Malko.

– *Dosvidania*, répliqua le douanier, enfonçant les cinq dollars dans sa poche.

Grâce à un walkie-talkie, il donna l'ordre de lever la barrière commandée électriquement, permettant d'entrer en Biélorussie. De l'autre côté de la frontière, c'était un spectacle apocalyptique ! Une file de plusieurs kilomètres de véhicules s'allongeait à perte de vue. Des gens faisaient leur toilette, d'autres avaient installé des

(1) Merci, au revoir.

réchauds par terre et préparaient leurs repas. Du linge séchait sur des fils tendus entre les antennes radio. Il leur faudrait entre quatre et sept jours d'attente pour franchir la frontière vers la Pologne...

Malko accéléra. Il était parti de Varsovie à sept heures et il était à peine dix heures... Son pistolet extra-plat se trouvait dissimulé dans le double fond de son attaché-case.

Devant lui s'ouvrait l'autoroute de Minsk, à peu près déserte. De chaque côté, des champs et les troncs argentés des bouleaux, à l'infini. La grande plaine russe qui moutonnait jusqu'à l'Oural. Quelques isbas aux couleurs passées et aux toits de tôle piquetaient le paysage. A part des camions, Malko ne doublait que de vieux side-cars aux occupants casqués de cuir, sérieux comme des papes, qui se traînaient à 40 à l'heure, et quelques Lada ne tenant plus que par la peinture.

Pas un restaurant, pas un village. De temps à autre, une station-service indiquée par le mot *Benzina* avec un écriteau accroché aux pompes : *Rimont* (1). Seules certaines stations réservées aux véhicules officiels avaient de l'essence... Traverser l'Union soviétique, c'était comme se lancer dans le Sahara... C'est pourquoi Malko avait transformé la Mercedes en bombe roulante, bourrant le coffre de jerricans d'essence.

Deux heures durant ce fut le même paysage, puis il quitta l'autoroute de Minsk pour prendre la direction de Slonim, au nord, coupant à travers le Biélorussie, par une route encore moins fréquentée. Les villages nichés dans les bois se ressemblaient tous avec leurs vieilles isbas et de hideux bâtiments modernes en béton noirâtre. Les gens étaient pauvrement habillés. A Slonim, il essaya en vain de trouver à manger. Tous les restaurants étaient fermés. Rien dans les épiceries, à part des conserves de poisson. Il dut se contenter de saucisses infectes débitées dans un petit kiosque installé

(1) Réparation.

en face d'un char T.34 à la peinture rutilante, monté sur un socle en souvenir de la « libération » de 1945.

Malko ne pouvait s'empêcher d'éprouver un malaise de se trouver en Union soviétique, de croiser des miliciens et des soldats. Les réflexes acquis étaient tenaces. En d'autres temps, il n'aurait même pas franchi la frontière. Maintenant, il circulait sous sa véritable identité.

Il entra en Lituanie sans même s'en rendre compte, après avoir passé Lida. Un poste de douane se contenta d'ouvrir le coffre et de vérifier la boîte à gants de la Mercedes. Le paysage ne changea pas : toujours des bois, des isbas et des champs où des centaines de personnes arrachaient des pommes de terre comme si leur vie en dépendait...

Vingt minutes plus tard, il arrivait à Vilnius. La capitale de la Lituanie ressemblait à une ville nordique, grise, triste, mais assez propre, avec comme seules taches de couleur des bus et des trolleys jaunes. Toutes les plaques des rues étaient en russe et en lituanien. Dans le centre, c'était un peu plus gai, avec de vieux immeubles baroques de toutes les couleurs, des marchands de glace et des femmes habillées court.

Des canards jouaient sur la Neris, la rivière coupant Vilnius en deux.

De l'autre côté, au nord, le *Lietuva*, l'hôtel où Malko avait sa réservation, dressait ses vingt-deux étages de béton gris, entouré d'autres constructions de style stalinien tout aussi tristes.

Arborant toutes les drapeaux lituaniens aux trois bandes horizontales, symboles de leur indépendance toute neuve.

Plus une statue de Lénine. Seuls quatre gigantesques soldats soviétiques de pierre flanquant le pont Zalesis, rappelaient que la Lituanie avait été « libérée » en 1945 par les troupes de Staline.

Le hall du *Lietuva* était aussi sinistre que tous les autres hôtels de l'*Intourist*, avec ses murs marron et ses employés grincheux. Une douzaine de jeunes femmes étaient vautrées devant la télé du hall. Des *interdievotchki*... (1)

On installa Malko au dix-huitième étage. De sa chambre, il voyait toute la vieille ville de l'autre côté du pont. Il n'y était pas depuis cinq minutes que le téléphone sonna. Il regarda l'appareil, intrigué. Comme dans tous les hôtels d'Union soviétique, il n'y avait pas de standard. Chaque chambre possédait sa ligne directe. Qui était déjà au courant de son arrivée?

*
**

Une voix de femme prononça quelques mots dans une langue incompréhensible. Malko demanda en anglais :

– Qui êtes-vous?

– Vous voulez interprète?

– Non, merci, fit-il, je parle russe.

– Vous voulez interprète quand même, insista l'inconnue.

– *Niet, spasiba*, trancha Malko.

Il raccrocha. Cinq minutes plus tard, on frappa à sa porte. Il alla ouvrir et se trouva devant une blonde plantureuse aux cheveux courts, avec un pull blanc moulant en angora et une mini en cuir. Elle tenta d'entrer avec un sourire engageant.

– Je, interprète, annonça-t-elle.

Elle était déjà collée à lui... Il dut lutter pour la mettre à la porte. Après s'en être débarrassé, il appela Vitas Kudaba, le stringer de la CIA. Ce dernier parlait bien l'anglais. Ils se donnèrent rendez-vous à l'extérieur du *Lietuva* une demi-heure plus tard.

– J'ai Lada rouge, précisa le Lituanien.

Il n'y avait que des Lada, à Vilnius...

Malko se changea. Heureusement, il ne pleuvait pas

(1) Putes pour étranger.

et le temps était plutôt doux. Après avoir glissé son pistolet dans sa ceinture, il descendit. Les putes étaient toujours là, dont son « interprète » en train de boire une bière à la bouteille. En contrebas de l'hôtel s'allongeait une allée bétonnée desservant un centre commercial d'une infinie tristesse, terminé par une petite église en réfection. Une foule morne se pressait devant les vitrines vides comme partout en URSS. Malko commença à faire le pied de grue, harcelé par des changeurs clandestins et des marchands d'icônes.

Vingt minutes plus tard, un blond au visage rond, avec des yeux très bleus et un sourire éclatant, engoncé dans un gros pull, surgit devant lui. A l'Est, on mettait rarement des manteaux, mais plutôt des chandails, des canadiennes ou des vêtements sans forme.

– Malko Linge? demanda-t-il. Je suis Vitas Kudaba.

– Comment m'avez-vous reconnu? demanda Malko.

Le Lituanien eut un sourire teinté de tristesse.

– A vos vêtements. On n'en a pas d'aussi beaux, ici.

– Je dois contacter Boris Glaser, dit Malko. Vous le connaissez?

– Pas personnellement, répondit le stringer de la CIA. Mais c'est le numéro 2 du KGB en Lituanie.

– Où peut-on le trouver?

Vitas Kudaba regarda sa montre.

– A cette heure-ci, au siège du KGB. Il collabore avec la Commission lituanienne de la Sécurité. On peut l'attendre à la sortie.

– Allons-y, dit Malko.

– Prenons ma voiture, suggéra le Lituanien, elle se remarque moins.

Ils gagnèrent une vieille Lada qui démarra avec des hoquets désespérés.

– C'est la pompe à essence! expliqua Vitas Kudaba. Mais depuis des mois impossible de trouver des pièces de rechange.

Et c'était le modèle le plus fabriqué en URSS!

Ils passèrent devant un massif bâtiment marron entouré de sacs de sable, de barbelés et de barricades improvisées. Quelques soldats à l'armement hétéroclite gardaient des chevaux de frise disposés en chicane.

– Voilà Parlement, annonça le stringer de la CIA. Avant, c'était Comité central Parti communiste lituanien.

C'était là que le président Landsbergis s'était retranché pendant des semaines, tenant tête au KGB et aux Omons (1)...

L'énorme bâtiment gris de trois étages s'élevait en face de l'ex-place Lénine – un square plein d'arbres – d'où la statue avait disparu. Une banderole tendue en travers de Gedimino Prospektas, ex-Lénine Prospektas, annonçait : « Nous avons vaincu le KGB ». Une voiture avec quatre policiers lituaniens dans leur nouvel uniforme vert maintenait une garde débonnaire. Vitas Kudaba tourna à gauche dans la rue Vasario, où se trouvait une entrée latérale.

– Je vais voir s'il est là, dit-il.

Il revint quelques instants plus tard, visiblement déçu.

– Il n'est pas ici. Il doit être malade, car il devait assister à réunion de la Commission.

– Vous savez où il habite?

– Oui.

– Allons chez lui.

Ils partirent vers l'est, suivant le cours de la rivière jusqu'au quartier d'Antakalnis, une zone résidentielle où se trouvait l'Université. Les maisons étaient un peu moins laides, il y avait de la verdure, on se serait presque cru en Europe de l'Ouest. Abandonnant Antakalnio gatve, Vitas Kudaba tourna à droite dans une

(1) Troupes spéciales du ministère de l'Intérieur.

voie tranquille – Silo gatve – montant vers des collines boisées. Cinq cents mètres plus loin, il désigna à Malko un petit immeuble de trois étages sur la gauche.

– C'est là.

– Je vais y aller, dit Malko. Attendez-moi.

Dans l'entrée, il n'y avait ni nom ni interphone, juste des numéros d'appartements. Il monta les deux étages sans ascenseur, notant que les trois portes de droite étaient rembourrées de cuir et disposaient toutes d'un œilleton. Le patron du KGB possédait quand même un triplex! Redescendu au rez-de-chaussée, il sonna.

Il dut s'y reprendre à trois fois avant que la porte ne s'entrebâille sur le visage couperosé d'une femme entre deux âges, un foulard sur la tête. Elle fixa Malko sans aménité et grommela en lituanien :

– Qu'est-ce que vous voulez?

– Boris Glaser, *pojoloniska*? demanda Malko en russe.

– Qu'est-ce que vous lui voulez? demanda la femme d'un ton plein d'agressivité.

Malko essaya sur elle son sourire le plus charmeur.

– Lui parler.

Elle secoua la tête, le visage fermé.

– Impossible.

– Pourquoi?

– Il est mort.

Malko demeura interloqué.

– Mort! Mais depuis quand?

La femme consentit enfin à le faire entrer. Il aperçut un corps étendu sur ce qui devait être une table de salle à manger : un homme tout habillé, allongé sur le dos, les bras le long du corps. Une vilaine tache rouge entourée d'une zone brûlée était visible au-dessus de son oreille droite et du sang séché formait une traînée noirâtre descendant jusqu'au cou. Sa bouche était entrouverte, laissant apercevoir plusieurs dents en or. Il avait les traits rudes d'un paysan et des cheveux roux hirsutes.

– Qu'est-il arrivé? demanda Malko.

La femme renifla, les yeux pleins de larmes et dit avec une résignation animale :

– Il s'est suicidé. Cette nuit. Moi, je n'ai rien entendu, je dormais tout en haut. Il travaillait souvent tard à son bureau. Je l'ai trouvé ce matin quand je suis descendue. Le pistolet était encore à côté de lui.

– Vous êtes sa femme?

– Oui.

– Il avait une raison de se suicider?

Son regard se fit fuyant :

– Je ne sais pas.

– Vous avez prévenu la police?

– Oui. Ils ont dit que c'était bien fait qu'un salaud comme ça se foute en l'air. Ils ne sont même pas encore venus.

Malko regarda le mort. Etrange coïncidence, ce suicide...

La femme le poussait dehors, sans ménagement.

– Le rabbin va venir, dit-elle. Laissez-moi.

– On l'enterre quand?

– Demain matin.

La porte claqua sur lui. Malko regagna sa voiture, pensif. Son contact commençait mal. Vitas Kudaba à qui il apprit la nouvelle n'eut pas l'air surpris :

– Il avait peut-être peur de subir des représailles. D'autres comme lui se sont suicidés.

Malko n'en croyait pas un mot. Peut-être qu'en accompagnant Boris Glaser à sa dernière demeure, il découvrirait quelque chose d'intéressant.

En tout cas, même si les circonstances avaient changé, le KGB avait gardé toute sa férocité, dès qu'il s'agissait de défendre ses intérêts. Igor Trifanov et Boris Glaser en savaient quelque chose... Malko se dit que s'il ne faisait pas *très* attention, il risquait d'être le troisième. La garce n'avait pas encore atteint tout le monde.

CHAPITRE IV

Un homme fluet en smoking et en nœud papillon jouait un air de violon mélancolique à quelques pas du trou béant où venait de glisser le cercueil de Boris Glaser. La lumière grise des pays du Nord ajoutait encore à la tristesse des lieux. Malko regarda la veuve du colonel du KGB penchée au-dessus de la fosse, accompagnée par les sanglots du violon, et les paroles d'une vieille chanson russe :

« Pleure petit père, Joue petit père! Pleure et joue encore, car c'est au fond de l'âme de ton violon que vit l'âme de notre peuple. »

C'était la tradition des enterrements israélites, dans ce pays, depuis la nuit des temps.

Il y avait peu de monde dans le petit cimetière juif de Vilnius, à l'ombre d'une cimenterie de l'autre côté de la rue Kelias avec une ligne à haute tension au-dessus des tombes.

Malko avait été surpris que Boris Glaser soit juif, le KGB comme toutes les administrations soviétiques en comptait relativement peu. Il n'y avait qu'une trentaine de personnes silencieuses autour de la tombe. Le rabbin dit une prière, la veuve lui répondit puis les assistants commencèrent à se disperser, les uns vers la sortie en face de la cimenterie, les autres vers le haut du cimetière. Une croix de bois brut ornée de quelques rubans avait été plantée dans la terre meuble, en attendant que selon la tradition locale, on décore la sépulture d'une pierre où serait gravée la photo du mort.

Quelques gouttes de pluie commencèrent à tomber. Le ciel charriait de lourds nuages bas et Malko se demanda soudain ce qu'il était venu faire dans ce cimetière. Sa mission se terminait abruptement : il n'avait aucun moyen de remonter au-delà de Boris Glaser.

A part sa veuve. Celle-ci, appuyée au bras d'une amie, se dirigeait vers la sortie du cimetière. Malko pivota pour lui emboîter le pas et se trouva alors nez à nez avec une femme debout au milieu du sentier, les mains dans les poches d'un imperméable très long, le visage impassible. Elle portait un foulard sur la tête à la russe, et des bottes noires qui disparaissaient sous son imperméable. Lorsque Malko croisa son regard, elle lui adressa un sourire chaleureux, découvrant des dents éblouissantes.

Il lui fallut quelques fractions de seconde pour reconnaître la splendide blonde qu'il avait croisée en descendant à la piscine de Samir Moussawi. Là où il avait trouvé le corps noyé d'Igor Trifanov.

Elle fit un pas vers lui et dit en russe d'une voix basse et musicale :

– J'espérais bien vous trouver là.

– Qui êtes-vous? demanda Malko sur ses gardes.

Sans répondre, elle glissa son bras sous le sien et l'entraîna, précisant gaiement :

– Je vais vous l'expliquer. Ne craignez rien.

Son pistolet extra-plat glissé dans sa ceinture, il ne se sentait pas particulièrement menacé... Il se retourna : plus personne autour de la tombe, le cimetière avait retrouvé son calme. Il aperçut Vitas Kudaba, à l'extérieur du cimetière, à côté de la Lada, et décida de l'ignorer. Le stringer comprendrait. La blonde le mena jusqu'à une Volga crème garée en face de la cimenterie, un homme au volant. Elle le précéda sur le siège arrière et il fut alors frappé par la carrure impressionnante du chauffeur. La voiture démarra aussitôt.

– Où allons-nous?

– Vous n'avez pas faim? demanda espièglement l'inconnue. Je connais un excellent restaurant dans la vieille ville.

– Pourquoi souhaitez-vous déjeuner avec moi? Et qui êtes-vous?

– Je m'appelle Katia Valentina Boudarenko, dit-elle, et je travaille dans une organisation que vous connaissez bien, le KGB.

Elle croisa les jambes, découvrant le bas d'une longue robe plissée rouge et alluma une cigarette. La Volga redescendait vers le centre, perdue au milieu des innombrables Lada de toutes les couleurs.

– C'est vous qui avez assassiné le colonel Igor Trifanov? demanda froidement Malko.

Katia Boudarenko tourna vers lui un regard candide.

– Assassiné! Mais Igor Trifanov s'est noyé! Vous l'avez constaté par vous-même.

– Et bien sûr, il s'est suicidé? continua Malko sur le même ton. En s'attachant lui-même dans un fauteuil et en se jetant ensuite dans la piscine.

La jeune femme leva sur lui un regard offensé :

– Vous ne pensez pas que j'aie pu faire cela moi-même?

Malko regarda le dos du chauffeur. Il se souvenait des tueuses du KGB, les « hirondelles » féroces et motivées qu'il avait jadis connues. Ravissantes comme Katia.

– Si, fit-il, avec un peu d'aide.

Du menton, il désignait le chauffeur dont les mains énormes transformaient le volant en jouet.

Ils venaient de repasser sur la rive sud et filaient le long de l'ex-Prospektas Lénine, vers le vieux quartier de Senamiestis.

Il ne comprenait pas encore la raison de cette étrange

rencontre. Katia Boudarenko était parfaitement sûre d'elle, enjouée même... La Volga ralentit, se faufilant dans un dédale de rues étroites bordées de maisons anciennes disparaissant sous des échafaudages de bois rudimentaires. C'était presque aussi beau que Prague.

– Nous sommes arrivés, annonça Katia.

Ils descendirent sur les pavés disjoints de la rue Stikliu devant l'enseigne en fer forgé d'un restaurant, le *Stiklai*. Cela ressemblait à une cave médiévale avec des plafonds voûtés, des boiseries sombres comme dans tous les pays nordiques et un fond de musique classique. Un maître d'hôtel en smoking les conduisit à un petit salon particulier. Katia ôta son imperméable, découvrant une robe rouge descendant presque jusqu'aux bottes. Le foulard défait, ses longs cheveux blonds cascadèrent sur ses épaules. On aurait dit une couverture de *Playboy*. Malko remarqua que ses ongles étaient longs, d'un rouge éclatant comme sa bouche.

Son regard croisa le sien et elle eut un sourire amusé.

– Je vois que vous me trouvez à votre goût, *Barin* (1).

– Je ne suis pas baron, corrigea Malko.

Katia eut une moue charmante.

– Vous savez bien qu'en russe, nous n'avons pas le mot adéquat. Comme je ne connais pas votre deuxième prénom, je ne vais pas vous appeler Votre Honneur.

Elle savait donc parfaitement qui il était. Les zakouskis étaient préparés sur la table, ainsi qu'un carafon de vodka. Ce n'était pas une invitation improvisée. Katia versa de la vodka dans deux verres et leva le sien.

– Au président Gorbatchev!

Elle n'avait pas dit « tovaritch ». Malko leva son verre à son tour. La vodka était délicieuse, glacée à souhait.

(1) Baron, en russe.

– Comment avez-vous su que j'irais à l'enterrement de Boris Glaser?

– C'était la chose à faire, dit-elle. Sinon, je vous aurais retrouvé au *Lietuva.*

– Et vous étiez certaine que j'accepterais votre invitation?

Katia lui adressa un regard appuyé.

– *Barin*, vous avez la réputation d'aimer les femmes, fit-elle d'un ton volontairement léger. Ma tenue dans ce cimetière n'était pas très sexy, mais vous m'aviez vue à Varsovie. Dans une très belle robe, n'est-ce pas? Faite sur mesure pour moi par un des nouveaux couturiers de Moscou. Tellement serrée que je ne peux pratiquement pas bouger. Ce qui a coûté la vie à cette crapule d'Igor Fedorovitch.

– Pourquoi? demanda Malko, abasourdi par ce cynisme.

Katia s'était mise à grignoter de la viande froide et des harengs, gardant le caviar pour la fin. Tranquillement, entre deux bouchées, elle lui expliqua comment elle avait attiré le colonel du KGB à la piscine et satisfait partiellement son désir pour le mettre en condition. Ses yeux brillaient comme si elle parlait d'une bonne plaisanterie. Elle s'interrompit pour demander, pleine d'innocence :

– Vous n'auriez pas réagi comme lui?

Malko lui adressa un regard aussi glacial que son cynisme.

– Je vous aurais violée, répondit-il calmement, et offert une autre robe.

Une lueur trouble anima brièvement les prunelles vertes de Katia, puis elle éclata d'un rire frais.

– Bravo! C'est comme cela qu'il faut traiter les femmes. Les prendre et les violer si elles résistent. Vous devez avoir un peu de sang russe...

Les zakouskis terminés, Malko acheva son caviar, au demeurant délicieux. Le silence retomba. Katia but encore un peu de vodka et rompit le silence pour dire :

– Maintenant, je vais vous expliquer pourquoi nous sommes ici.

Elle tira de son sac un petit livret rouge sur la couverture duquel était gravé l'emblème du KGB – le glaive et le bouclier –, l'ouvrit et le posa devant Malko. Ce dernier y eut la confirmation de son nom, sa date de naissance, le 23 septembre 1959, et son grade : major. La photo qui illustrait le document, avec les cheveux tirés, la vieillissait et la durcissait.

– Au cas où vous ne m'auriez pas crue tout à l'heure, commenta Katia Boudarenko.

– Pourquoi avez-vous assassiné le colonel Igor Trifanov?

Katia laissa le garçon déposer les poulets à la Kiev sur la table et sortir, avant de répondre :

– Il n'a pas été assassiné, corrigea-t-elle. Seulement châtié pour haute trahison. Le colonel Trifanov faisait partie de l'équipe du putsch d'août comme son ami Boris Glaser. Ceux qui ont essayé de renverser le président Gorbatchev. Comme ils ont échoué, et qu'ils doivent payer les conséquences de leurs actes, certains ont décidé de jouer le tout pour le tout.

– C'est-à-dire?

La musique classique continuait en sourdine. Katia parlait lentement en détachant les mots, tirant de petites bouffées de sa cigarette.

– C'est-à-dire, enchaîna-t-elle, que le colonel Igor Trifanov et Boris Glaser ont décidé de s'enfuir d'URSS pour échapper au châtiment légal. Seulement, pour cela, ils avaient besoin d'argent. Ce n'étaient pas les mille roubles de leur solde qui pouvaient les faire vivre à l'Ouest... (Elle eut un léger sourire.) Ils se sont dit que la CIA serait toujours acheteuse de certains documents.

– Exact, reconnut Malko. Mais que voulaient donc nous vendre le colonel Trifanov et ses amis?

– Trifanov travaillait à la section « S » du Premier Directorate, répliqua Katia. Il avait volé les disquettes sur lesquelles se trouvaient les listings de tous les clandestins du KGB opérant aux Etats-Unis, au Canada et en Allemagne. Cela vaut beaucoup d'argent, n'est-ce pas?

– Beaucoup.

Tout collait dans le récit de Katia. Tout sauf l'essentiel.

– Puisque vous semblez tellement au courant, objecta Malko, pourquoi n'avez-vous pas empêché le colonel Trifanov de se rendre à Varsovie? Et d'abord, qui représentez-vous?

– Ceux du Premier Directorate qui obéissent à Vadim Bakinine (1), lança-t-elle. Trifanov n'était pas seul dans cette affaire. Nous avons appris le projet de cette clique trop tard pour les empêcher de quitter Moscou, puis nous les avons pourchassés ici, en Lituanie.

– Et pourquoi ne pas être intervenus?

Katia eut un sourire amer.

– Vous avez vu ce qui se passe! Les Lituaniens ont interrompu toutes les activités du KGB, ils ont occupé nos bureaux, nous n'avons plus aucune autorité légale. Heureusement, quelques-uns sont restés fidèles au Centre et continuent à nous renseigner... C'est de cette façon que nous avons pu mettre en échec la trahison de ces hommes.

Ses yeux verts avaient pris une dureté glaciale. Malko enregistrait, se demandant où elle voulait en venir.

– Donc, conclut-il, ne pouvant éliminer le colonel Trifanov en Lituanie, vous l'avez suivi et liquidé à Varsovie.

– Parfaitement exact, reconnut la jeune femme.

– Et, voyant cela, le colonel Glaser s'est suicidé?

(1) Nouveau directeur du KGB nommé par Mikhaïl Gorbatchev après le putsch.

Katia Boudarenko corrigea d'un ton égal :

– Nous *l'avons* suicidé. Sa femme nous a même surpris, mais nous l'avons avertie que si elle disait un mot, elle subirait le même sort. Vous savez très bien que les activités du Premier Directorate vont continuer. Et que les listes qu'ils étaient prêts à vous livrer représentaient un coup très dur pour notre patrie. Vous les auriez payées le prix qu'ils demandaient.

– Où sont ces listes?

– Nous les avons récupérées.

A un imperceptible changement de voix, Malko sentit que, sur ce point, elle mentait. Sinon, le reste de l'histoire se tenait... Ils se toisèrent du regard. Katia l'observait, avec une attitude soudain plus détendue, presque sensuelle.

C'était quand même bizarre de l'avoir convié à ce déjeuner uniquement pour écouter les oraisons funèbres d'Igor Trifanov et de Boris Glaser. Pourquoi avait-elle éprouvé le besoin de se manifester? De nouveau, Katia brisa le silence.

– Je voulais aussi vous transmettre un avertissement de mon chef, le général Anatoly Gregorovitch Kaminski.

– Quel avertissement? demanda Malko.

– Ne prolongez pas votre séjour en Lituanie. Cela serait considéré comme un geste hostile.

– Je croyais que vous aviez récupéré ces disquettes, objecta Malko, et que les coupables étaient au cimetière.

– Pas tous, trancha Katia.

Ainsi, on y était...

– Puisqu'il s'agit d'un ordre de votre Direction générale, dit-il, pourquoi ne prennent-ils pas contact officiellement avec notre station de Moscou?

– Cela va être fait, affirma-t-elle.

Pourquoi Katia s'était-elle dévoilée avec autant de candeur, juste pour l'avertir d'un non-événement?

– Merci de vos informations, dit Malko. Je vais

attendre des nouvelles de ma Centrale. Et peut-être visiter la Lituanie.

– Bravo, approuva chaleureusement Katia. Vous êtes un homme intelligent.

Le maître d'hôtel entra et Katia demanda quelque chose en lituanien. L'autre revint quelques instants plus tard avec une bouteille de Cointreau dont il remplit deux verres. Katia leva le sien.

– A notre nouvelle coopération.

– Vous ne mettez pas de glaçons? demanda Malko, surpris.

– Des glaçons? fit Katia, sincèrement étonnée. Non. Cointreau, c'est comme vodka! Seulement plus doux.

Elle vida son verre d'un trait et le reposa avec un sourire satisfait plein de sensualité.

Elle repoussa sa chaise et se leva. Malko en fit autant et ils demeurèrent face à face. Aussitôt, une lueur trouble commença à flotter au fond des prunelles vertes. Katia faisant bander les hommes et elle le savait. Les pointes de ses seins crevaient le tissu de la robe rouge, son très léger déhanchement était une invite muette. Comme cet endroit intime noyé de musique classique. Un bref fantasme envahit le cerveau de Malko. Il suffisait de renverser Katia sur la table à laquelle elle était appuyée pour la violer comme un soudard. Sans même la déshabiller.

Leurs regards demeuraient accrochés l'un à l'autre. C'était cette lueur follement érotique dansant dans les beaux yeux verts qui avait mené Igor Trifanov à son triste sort.

– A quoi pensez-vous? demanda Katia d'une voix rauque à souhait.

– Au colonel Trifanov, dit Malko.

Ce n'était sûrement pas la réponse qu'elle attendait. Il s'inclina légèrement, prit sa main et l'éleva à ses lèvres.

– Merci pour cet excellent déjeuner. Je vais rentrer à pied, j'ai envie de visiter Senamiestis.

Il sortit du cabinet particulier sans se retourner.

Le vrai combat commençait. Tout le numéro de Katia Boudarenko n'avait qu'un but : dissuader Malko de continuer sa mission. Maintenant il était sûr qu'il y avait quelque part à Vilnius quelqu'un qui allait reprendre le flambeau des deux morts.

La CIA et le KGB avaient beau s'embrasser sur la bouche, Katia et ses amis n'hésiteraient pas à éliminer Malko s'il s'obstinait. C'était le vrai message de ce déjeuner.

CHAPITRE V

En descendant l'étroite rue Stikliu, Malko se demanda si Katia et ses amis allaient pouvoir frapper assez vite pour empêcher qu'il ait un nouveau contact avec le clan Trifanov-Glaser.

Il redescendit à travers la vieille ville à pied, puis traversa le pont pour arriver au *Lietuva* par-derrière, en empruntant l'allée piétonne qui montait du carrefour après le pont jusqu'à l'hôtel. Il ne voyait qu'un moyen d'activer les choses : faire savoir à la veuve du colonel Glaser qu'il était toujours là. Celle-ci avait probablement le contact avec les amis de son mari. A peine poussait-il la porte du *Lietuva* que Vitas Kudaba surgit. Comme si Malko ne l'avait pas planté au cimetière sans rien dire.

– C'était une très jolie femme au cimetière, remarqua-t-il.

– Vous la connaissez?

– *Niet*. Jamais vue. Pourtant, Vilnius est tout petit.

– Nous retournons au domicile de Boris Glaser, annonça Malko.

Dix minutes plus tard, ils étaient devant le petit immeuble. Malko sonna. Successivement aux trois portes. Sans le moindre résultat. Découragé, il ressortit et leva la tête. Juste à temps pour apercevoir la veuve disparaître précipitamment du balcon. Agacé, il remonta et se remit à frapper à la porte. Cette fois, le battant finit par s'ouvrir.

Sur une furie!

Sans un mot, la veuve de Boris Glaser se jeta sur Malko, lui griffant le visage, décochant des ruades, grondant des injures en lituanien.

Malko réussit d'abord à la repousser à l'intérieur de l'appartement, puis à refermer la porte d'un coup de pied et, enfin, à la maîtriser.

– Foutez le camp! gronda la veuve. Allez donc retrouver cette meurtrière!

– Calmez-vous, dit Malko, je ne connais pas cette femme. C'est la première fois que je la voyais.

– Vous êtes partis ensemble du cimetière! Je vous ai vus.

De nouveau, elle basculait dans l'hystérie. Malko lui mit la main sur la bouche.

– Arrêtez! J'étais venu à Vilnius spécialement pour voir votre mari. Ceux qui l'ont assassiné ne sont pas mes amis.

Un peu calmée, elle le regarda par en dessous.

– Pourquoi venez-vous me torturer? Il est mort.

– Lui, certainement, reconnut Malko. Mais je pense que ses amis aimeraient me contacter. Si vous pouvez les joindre, prévenez-les. Voici mon numéro de téléphone. Je suis au *Lietuva*, chambre 1802.

Il écrivit le numéro sur une carte. La veuve de Boris Glaser gardait une expression hostile.

– Je ne connais personne, fit-elle. Foutez le camp.

Malko n'avait plus de raison de s'incruster. La veuve claqua violemment la porte derrière lui. Il avait lancé son hameçon. Il n'y avait plus qu'à attendre.

Vitas Kudaba fumait à côté de la voiture. Malko y prit place, pensif.

– Que sont devenus les agents du KGB lituanien? demanda-t-il.

– Ils ont été renvoyés chez eux mais continuent à être payés par Moscou, expliqua Vitas Kudaba. Et à obéir à leurs chefs. Les réseaux d'indicateurs n'ont pas été touchés. Ils ont emportés leurs dossiers les plus sensibles, et ils opèrent toujours impunément dans beaucoup d'organismes soviétiques comme l'Aeroflot ou les casernes de l'Armée rouge.

Ce n'était pas encourageant. Malko se dit qu'il était urgent de contacter le chef de la délégation de la CIA à Vilnius, James Pricewater.

– Vous savez où se trouve l'hôtel *Draugyste*? demanda-t-il à Vitas Kudaba.

Le stringer lui jeta un regard amusé.

– Bien sûr, à l'autre bout de la ville, en bordure du parc Vingio. C'est là où descendent tous les apparatchiks soviétiques en visite.

– Eh bien, c'est aussi l'hôtel de la CIA, conclut Malko.

Malko sonna à la chambre 1406. De l'intérieur, le *Draugyste* était aussi sinistre que du dehors. Du marron partout, une vague odeur de chou rance et les habituels employés grincheux. La porte s'ouvrit sur un homme en bras de chemise, un cigare planté au coin des lèvres, petit, presque chauve, avec d'étonnants yeux bleus.

– James Pricewater? demanda Malko.

– Lui-même.

– Malko Linge.

– *God!* Je vous ai cherché partout ce matin. Au *Lietuva*, on m'a dit que vous n'étiez pas là. Entrez.

Malko le suivit. La chambre communiquait avec une autre. Partout, des tables encombrées de documents, d'ordinateurs portables, de radios, de photocopieuses. Dans la pièce voisine, un jeune homme tapait sur un telex.

– Nous occupons presque tout l'étage, expliqua l'Américain. Asseyez-vous.

Il y avait même du café américain.

– Pourquoi me cherchiez-vous? demanda Malko.

– A la demande de la station de Moscou, après accord de Langley. Cela concerne votre mission actuelle.

– Elle me semble terminée, remarqua Malko, pensant à la mort de Boris Glaser.

James Pricewater opina du chef.

– Tout à fait exact. Notre chef de station de Moscou a été contacté par un général du KGB qui n'a pas voulu révéler son nom, mais a donné quelques preuves de son appartenance à la Maison. Il a déclaré que certains éléments du KGB, des putschistes, avaient décidé de vendre à la CIA des informations extrêmement importantes sur les clandestins du KGB. Mis au courant, le président Gorbatchev tenait à faire savoir à ses partenaires américains qu'il considérerait cette acquisition par la CIA comme un coup de canif au contrat moral qui lie désormais nos deux pays...

Malko n'en croyait pas ses oreilles : les temps avaient vraiment changé! Le KGB demandait à la CIA de ne pas profiter de son avantage dans une affaire qui pouvait décapiter ses réseaux aux Etats-Unis...

– Et alors? interrogea-t-il.

– C'est une décision politique évidemment. Prévenu, notre directeur général a soumis le cas à la Maison Blanche. Les conseillers du président Bush ont voulu savoir si on pouvait traiter en faisant croire le contraire. On lui a répondu que non. Evidemment, dès qu'on arrêterait les gens de leur réseau, les Popovs sauraient qu'on avait conclu le deal. Alors, le Président a interdit de poursuivre les négociations avec ce groupe du KGB. Et l'a confirmé dans une lettre secrète à Gorbatchev.

Malko eut l'impression de recevoir un sac de ciment sur la tête. Le KGB n'avait pas « demandé » à ses agents de ne pas vendre leurs documents. Il les avait férocement assassinés. Tandis que l'Amérique retombait dans son travers classique : l'angélisme. James

Pricewater secoua tristement la tête et attrapa une bouteille de Johnnie Walker derrière lui.

– Je sais ce que vous pensez! soupira-t-il. Du temps de Wild Bill (1), on leur aurait dit d'aller se faire foutre et on aurait rempli les pénitenciers. Ce pays part en couilles.

Ainsi Katia n'avait pas bluffé lorsqu'elle avait prédit à Malko qu'on lui donnerait l'ordre de décrocher. Malko comprenait d'autant moins son insistance à le voir partir. Sauf si elle se méfiait autant de la CIA que la CIA du KGB. Et si les amis d'Igor Trifanov traînaient toujours à Vilnius.

James Pricewater avala son Johnnie Walker d'un coup et poussa un profond soupir en se grattant furieusement le cou.

– Vous êtes foutrement veinard de quitter ce pays. Je suis couvert de boutons. Ici, on ne mange que des harengs et des pommes de terre. Même pas un MacDo, comme à Moscou. Et les quantités de vodka qu'il faut avaler! Ils boivent comme des trous. J'ai l'impression que mon foie est devenu une éponge.

– Vous restez longtemps à Vilnius? s'enquit poliment Malko.

L'Américain leva les yeux au ciel.

– Dieu seul le sait! Les Lituaniens ne sont pas des rapides. Tous les jours, il faut se trimbaler au Parlement, c'est là que Vytautas Landsbergis, le Président, a son bureau. Il a gardé les sacs de sable tout autour comme si les Omons allaient attaquer de nouveau...

Pendant plusieurs semaines, les troupes spéciales du ministère de l'Intérieur soviétique avaient assiégé le Parlement où s'étaient réfugiés les politiciens locaux. Après l'échec du putsch, tout s'était débloqué par miracle. Les blindés s'étaient enfuis dans un grand bruit

(1) William Casey, farouche anti-communiste, directeur de la CIA sous Reagan, mort depuis.

de chenilles vers leurs refuges de Biélorussie, libérant Vilnius.

– Et le KGB?

L'autre fit la grimace.

– C'est en partie pour cela que nous sommes ici. On voudrait bien récupérer leurs archives, mais les Lituaniens ne sont pas très coopératifs. Ils ont posé des scellés partout, et prétendent que les Kagébistes ont tout emporté à Moscou.

– Vous saviez que Boris Glaser était mort?

– Mort! sursauta l'Américain. Je l'ai encore vu il y a deux jours. De quoi est-il mort?

– Une balle dans la tête.

James Pricewater eut une grimace réprobative.

– Il avait l'air d'un brave type. Enfin, s'il peut y avoir de braves types au KGB! ajouta-t-il avec un gros rire. Il paraissait bien tranquille dans son petit bureau de l'ex-KGB où il collabore avec la Commission d'épuration lituanienne. C'est là qu'il m'avait transmis l'info concernant Trifanov.

Un ange s'enfuit tristement, enveloppé dans un suaire rouge... Malko s'ébroua. En dépit de l'affirmation de James Pricewater, il tenait à avoir une confirmation absolue de l'abandon de la mission. Avisant un téléphone, il demanda :

– Est-ce que je peux appeler le COS de Varsovie?

James Pricewater sursauta comme si un serpent l'avait piqué.

– *Negative!* Toutes les lignes passent par Moscou. Le seul endroit à peu près sûr, c'est la salle des téléphones de presse au Parlement. Il y a trop de lignes pour qu'ils puissent les écouter toutes...

Malko était déjà debout. James Pricewater agita son cigare.

– *Wait a minute!* Je vais au Parlement. Je vous emmène. Sinon, c'est le bordel pour entrer.

Ils descendirent ensemble. L'Américain était en train de remettre sa clef à la réception, lorsque la porte du hall s'ouvrit sur une véritable procession : cinq hommes corpulents, massifs, le visage fermé, habillés de costumes sombres pratiquement identiques, des attaché-cases à la main. Gais comme des furoncles. Ils se dirigèrent vers l'ascenseur.

– Qui sont-ils? demanda Malko à James Pricewater.

– Une délégation du KGB arrivée de Moscou hier, répondit l'Américain. Soi-disant pour assurer le passage des pouvoirs aux Lituaniens mais je me demande s'il n'y a pas une autre raison.

Tandis que Malko contemplait les cinq hommes, la porte du hall s'ouvrit à nouveau, cette fois sur une femme. Katia Boudarenko portait son long imperméable avec des bottes, et avait les cheveux tirés et attachés comme sur sa photo d'identité du KGB. Malko s'abrita derrière Pricewater pour qu'elle ne le repère pas et la vit s'engouffrer avec les cinq hommes dans l'ascenseur. James Pricewater, intrigué, demanda :

– Vous la connaissez?

– C'est la meurtrière d'Igor Trifanov. Vous l'avez déjà vue?

– Jamais.

– Je crois que vous avez raison, répliqua Malko, il y a une autre raison à la présence de ces cinq hommes.

Il rengaina sa fureur : pendant que le KGB déployait visiblement tous ses efforts pour annihiler les complices d'Igor Trifanov et de Boris Glaser, lui recevait l'ordre de « démonter », d'assister passivement à la liquidation de ceux venus offrir à la CIA une mine d'or sur un plat d'argent. La présence de ces cinq hommes en compagnie de Katia laissait supposer que le problème n'était pas réglé aussi complètement que la jeune femme l'avait prétendu. Et lui, Malko, recevait l'ordre de ne rien faire. Le minimum était au moins de tenter d'infléchir la Company. Celle-ci ne retrouverait pas tous les jours une occasion pareille.

*
**

Un soldat armé d'un fusil de chasse et un autre d'un revolver Nagant remontant à la fin du siècle dernier veillaient devant une barricade hétéroclite de barbelés, de blocs de ciment, de troncs d'arbres et de sacs de sable. Le Parlement se dressait cent mètres plus loin, entouré de sacs de sable lui aussi. Des soldats s'agitaient autour et des jeunes gens armés filtraient les visiteurs.

L'intérieur était marron et solennel, plein de gens affairés courant dans tous les sens. C'est d'ici qu'était gouvernée la Lituanie depuis son indépendance. James Pricewater mena Malko à la salle des téléphones au premier et il plaça son numéro pour Varsovie.

Trente secondes après, Malko avait l'ambassade américaine en ligne et, par miracle, le chef de station, William Sterling, était là. Malko le mit rapidement au courant des derniers développements – la mort de Boris Glaser, l'intervention de Katia et le message transmis par James Pricewater –, terminant par une question précise :

– Est-ce que je démonte vraiment?

– Oui, confirma William Sterling. C'est une décision politique.

– Et si je suis contacté avant mon départ?

– Vous ne donnez pas de suite, ordonna, après une imperceptible hésitation, le chef de station.

Un ange passa, qui avait la tête de bouledogue de William Casey, éructant des injures indignes de sa condition.

– Autrement dit, je suis venu à Vilnius pour rien, conclut Malko.

Le chef de station eut un rire amer.

– Pour une fois qu'une de vos missions se termine vite et bien, ne vous plaignez pas! Je vous verrai dès votre retour, puisque votre Rolls est garée dans la cour de l'ambassade. A propos, essayez de me rapporter quelques icônes. Elles sont superbes en Lituanie et on peut les sortir. Vous avez un vol Vilnius-Varsovie demain. Si vous ne souhaitez pas revenir en voiture.

– Je la vends sur place?

– Non. Laissez-la à James Pricewater. Il sera ravi.

– Très bien, dit Malko. A demain, donc.

*
**

Il avait payé la communication 15 roubles (1). Les Lituaniens ne voulaient pas faire gagner d'argent aux Soviétiques et laissaient les étrangers vivre à la russe. C'est-à-dire pour rien.

Malko prit congé de Pricewater et rejoignit Vitas Kudaba, qui avait suivi avec sa voiture.

– On va à l'Aeroflot, annonça-t-il.

Un triste bâtiment de béton gris, juste en face de l'hôtel. Malko dut patiemment faire la queue pour acheter un billet Vilnius-Varsovie, pour le lendemain après-midi. Ironie du sort, une brochure d'Air France taînait sur le comptoir, annonçant que désormais les passagers « Club » avaient droit à un hélicoptère pour les transporter de JFK à Manhattan, évitant les encombrements. Cela se passait à des années-lumière de Vilnius... Le temps s'était gâté et il commençait à pleuvoir. Cette ville le déprimait. A part la partie ancienne aux rues mal pavées, Vilnius était sinistre. Même l'eau de la rivière réduite à un ruisseau semblait figée.

Après avoir laissé Vitas Kudaba, il se dirigea vers le *Lietuva.* Juste avant d'en franchir la porte, il fut abordé par un jeune homme blond avec des moustaches tombantes qui avec un sourire engageant lui montra dans le creux de sa main une petite boîte en papier mâché,

(1) Environ 2,50 francs.

travail artisanal russe, représentant le théâtre Bolchoï de Moscou.

– 200 roubles! proposa le jeune homme. *Very cheap.*

Effectivement, cela faisait à peine cinq dollars. Hélas, Malko n'était pas collectionneur. Il repoussa la boîte avec un sourire.

– *Niet, spasiba.*

Comme s'il n'avait pas entendu, d'un geste vif, le blond lui glissa la boîte dans la main et fit demi-tour. Malko, surpris, crut d'abord à une astuce pour le forcer à acheter, mais son vendeur s'éloignait à grands pas, sans même se retourner! Attitude étrange pour un marchandage. Intrigué, Malko soupesa son « achat ». La boîte était légère. Il l'ouvrit avec précautions, découvrant un papier plié à l'intérieur. Il la referma et la mit dans sa poche.

Ce n'est qu'une fois dans sa chambre qu'il l'ouvrit et déplia le papier. Quelques mots en russe :

Allez demain matin visiter le château de Trakai.

*
**

Malko resta plusieurs minutes absorbé dans la contemplation du message découvert dans la boîte. Normalement, il aurait dû le brûler et ne pas en tenir compte. Suivant ainsi les ordres de la Company. Mais c'était plus fort que lui : toutes les fibres de son être se révoltaient contre cette démission. Il éprouvait aussi un sentiment de fureur contre cette Katia Boudarenko qui avait si bien ficelé son affaire. Après avoir liquidé Igor Trifanov et Boris Glaser, elle arrivait à neutraliser la CIA, afin de pouvoir terminer tranquillement le travail.

Finalement, il prit le mot et le brûla. Ce ne serait pas la première fois qu'il désobéirait à la CIA.

Et tout ce qu'il risquait, pour l'instant, c'était quelque chose qui lui appartenait totalement : sa vie.

*
**

Sa sérénité retrouvée lui ouvrit l'appétit et il gagna le restaurant du vingt-deuxième étage où, contre un pourboire de cinq dollars, il obtint une table dominant toute la ville. Déjà on buvait sec, autour de lui. Il réclama en vain du caviar, et dut se contenter des habituels harengs. Il s'apprêtait à les dévorer lorsqu'un couple vint s'installer à la table voisine : Katia Boudarenko, accompagnée d'un des cinq membres de la délégation du KGB. Un homme de très haute taille, avec une couronne de cheveux noirs, un nez important et de grosses lunettes d'écaille. Katia adressa un petit signe à Malko, puis dit quelques mots au garçon. Trois minutes plus tard, Malko voyait arriver sur sa table une coupe pleine de caviar, apportée par le même maître d'hôtel qui avait auparavant déclaré qu'il n'y en avait pas. Le KGB avait encore le bras long à Vilnius...

Lorsque, assourdi par la musique tonitruante et après avoir attendu son bœuf strogonoff plus d'une heure, il décida de regagner ses pénates, Katia et son compagnon étaient partis depuis longtemps et la plupart des consommateurs avaient atteint le stade où ils auraient été incapables de faire la différence entre Lénine et Jean Paul II.

En pénétrant dans sa chambre, il eut un choc. Katia était assise sur un des lits jumeaux, en train de fumer une cigarette. Sa robe de jersey gris, remontée sur ses cuisses, permettait d'admirer le galbe de ses jambes. Elle écrasa sa cigarette, se leva et vint au-devant de Malko.

– Je viens vous souhaiter bon voyage, annonça-t-elle. J'espère que votre vol n'aura pas de retard...

Malko dissimula sa fureur. Décidément, le KGB démantelé était encore redoutablement efficace. La pulpeuse Katia devait *aussi* avoir le numéro de sa ligne secrète du château de Liezen.

Le choc parfumé d'un corps souple coupa net sa fureur. Katia s'enroula autour de lui comme une femme de marin après six mois d'absence. La langue dardée comme une flèche, le bassin en avant, une main crispée sur la nuque de Malko, l'autre entreprenant une exploration précise. D'après la consistance de la masse tiède qui s'écrasait contre son alpaga, il devina qu'elle n'avait pas de soutien-gorge.

Il eut beau se répéter de toutes ses forces qu'elle était programmée comme un ordinateur, il s'embrasa instantanément. A quatre ans, Katia devait déjà être une bombe sexuelle. Elle bougeait sans cesse contre lui, le mettant en contact avec chaque parcelle de son corps. Sans un mot inutile. Radio-Moscou continuait à moudre ses chansons folkloriques et ils oscillaient dans la chambre minuscule. Sans même qu'elle le caresse, il avait acquis la rigidité d'une barre d'acier. De ses mains impatientes, il parcourait les courbes d'une croupe pleine et cambrée, à peine protégée par le fin jersey.

Katia s'écarta pour reprendre son souffle, fixant Malko entre ses cils mi-clos. Avec une expression telle qu'un ayatollah lui aurait déchiré sa robe avec les dents... Malko n'eut pas à en venir à cette extrémité. D'un geste gracieux, Katia fit passer sa robe par-dessus sa tête, ne gardant que des bas montant très haut sur ses cuisses et ses bottes à talons aiguilles. Elle prit ses seins à pleine main, les caressant lentement, comme pour les offrir, son regard noyé de sperme vrillé à celui de Malko. Ce dernier fixa le triangle blond du ventre, pris d'une subite envie. Si Katia était en service commandé, comme il en était sûr à 99 %, elle allait en avoir pour son argent.

Il la poussa sur un des lits jumeaux, s'agenouilla sur le tapis caucasien élimé et colla sa bouche à son ventre. Aussitôt elle poussa un gémissement, ses mains descendirent, écartant Malko, l'aidant à atteindre la zone la plus sensible de son intimité. Très vite, elle se mit à haleter, à soupirer, à onduler, faisant mentir le proverbe russe qui dit : « Il est plus facile de faire chauffer un poêle qu'une femme russe. »

Malko n'avait qu'une idée : accomplir son habituel et sulfureux fantasme sur cette superbe créature.

La femme d'acier était devenue une femelle lascive et docile. Lorsque Malko la tira vers lui pour qu'elle s'agenouille entre les lits jumeaux, elle se laissa faire sans protester. Emettant un feulement ravi lorsqu'il s'enfonça en elle d'une seule poussée. Il n'y demeura qu'un court instant et ressortit, promenant son sexe entre les globes fermes de la croupe. C'est Katia elle-même qui, posant les mains sur ses fesses, les écarta pour lui faciliter le passage... Malko s'engouffra dans ses reins avec une telle violence qu'elle poussa un cri bref. Une fraction de seconde exquise. Le sang aux tempes, il demeura strictement immobile, serré par la gaine étroite. Il fallait faire durer les bonnes choses. Puis, il se mit à la labourer lentement. Ils ne dirent pas un mot jusqu'au moment où il sentit un formidable orgasme monter de ses reins.

Katia creusa les siens, cria, et ensuite retomba, comme étourdie.

Lui demeura immobile, regardant son sexe fiché au milieu de cette croupe de rêve, savourant ces instants divins. Chacune de ses missions lui réservait ainsi quelques rares moments. Katia s'ébroua et dit d'une voix de petite fille :

– On va dormir maintenant...

Il crut avoir mal entendu. Déjà, elle avait disparu dans la salle de bains. Elle en ressortit démaquillée, des cernes sous les yeux, pimpante comme une jeune mariée, et se glissa dans un des lits avec un soupir.

– J'habite très loin, expliqua-t-elle. A cette heure-ci, il n'y a plus de taxis. Et puis, comme ça, on recommencera demain matin...

Décidément le KGB ne prenait aucun risque. Katia tenait à le « marquer » jusqu'à la dernière seconde. Si on lui téléphonait, elle assisterait à la conversation... Elle était bien en service commandé.

Malko s'arrêta juste en face du sentier longeant la rive du lac Galvé. Une légère brume flottait encore à la surface de l'eau, accentuant le romantisme des lieux.

Devant lui une longue passerelle de bois menait à l'îlot au milieu du lac où se dressait le château-fort tout en brique rouge qui avait été au XVe siècle la demeure des rois de Lituanie. Un décor de conte de fées.

Katia était descendue en même temps que lui prendre le petit déjeuner, une heure plus tôt. Ils n'avaient pas refait l'amour et s'étaient quittés presque froidement, comme si leur brève rencontre n'avait été qu'un rêve. Malko lui avait simplement dit qu'il allait visiter la ville, filant ensuite jusqu'à Trakai, à une vingtaine de kilomètres à l'ouest de Vilnius.

Il n'avait pas l'impression d'avoir été suivi, mais ne pouvait en être certain. Certes, le téléphone n'avait pas sonné pendant que Katia était là, mais cela n'avait peut-être pas suffi à désarmer leur méfiance. Malko partit à pied le long du lac. Quelques pêcheurs à la ligne étaient déjà au travail sur la passerelle de bois. Arrivé à l'entrée du château, il paya ses cinq roubles et pénétra dans la cour.

A part un groupe de Japonais, il n'y avait aucun visiteur. Il traversa la cour, gagnant le bâtiment central au-delà des douves. Sur trois étages dans des salles desservies par des galeries extérieures, étaient exposés des objets chargés d'histoire. Les Japonais montaient déjà à l'assaut des escaliers de bois. Malko allait en faire autant quand un coup de sifflet strident lui fit lever la tête. Un homme était penché à la balustrade de bois du troisième étage, vingt mètres au-dessus de lui. Il agita le bras dans sa direction et lança quelque chose dans le vide. Instinctivement, Malko fit un bond en arrière, mais l'objet rebondit sans bruit sur les pavés de la cour intérieure.

Il le ramassa : il s'agissait d'une cassette audio enveloppée d'un morceau de bullpack. Il leva les yeux : l'homme avait disparu... Il se rua dans un des escaliers extérieurs et parvint, essoufflé, au troisième. Le temps de parcourir les salles désertes, surveillées par des « babouchkas » endormies, il dut se rendre à l'évidence. L'inconnu lui avait faussé compagnie, grâce à un autre escalier, intérieur celui-là.

Après avoir exploré au pas de course les autres étages, il ressortit du château de Trakai, sa cassette dans la poche, et reprit la route de Vilnius. Direction l'hôtel *Draugyste*. James Pricewater devait bien posséder un magnétophone.

*
**

James Pricewater avait accueilli Malko avec une certaine froideur. L'idée que ce dernier ait désobéi aux ordres de Langley le mettait mal à l'aise.

Il le regarda avec curiosité glisser la cassette dans son walkman et se força à plaisanter.

– C'est peut-être de la musique folklorique...

Malko, écouteurs aux oreilles, mit le son au maximum. D'abord, il n'entendit qu'un chuintement, puis une voix annonça en russe :

Ici, le camarade Anatoly Beda. Mikhaïl Sergueïevitch désire parler au camarade maréchal Akromeiev.

Il y eut des bruits divers, suivis d'une sonnerie et la voix d'un homme âgé annonça :

Ici le camarade maréchal Akromeiev.

Un silence, des bruits de connexion, puis une voix pleine de chaleur éclata dans l'appareil.

Tu es là, Ivan Alexandrovitch?

Da, Mikhaïl Sergueïevitch, répondit la voix âgée.

As-tu transmis les instructions spéciales que je t'ai

données avant mon départ? demanda la voix chaleureuse.

Da, Mikhaïl Sergueïevitch.

Ont-elles été exécutées?

Je le pense, Mikhaïl Sergueïevitch.

Il faut faire plus que le penser, reprit d'une voix moins chaleureuse son interlocuteur.

La communication s'interrompit brutalement. Malko laissa défiler presque toute la bande avant d'entendre une autre voix d'homme qui commentait :

Ceci est une communication entre Mikhaïl Gorbatchev et le maréchal Akromeiev. Elle a été établie par Anatoly Beda, responsable du réseau de communication protégé entre la datcha du Président à Foros et différentes villes d'Union soviétique. Elle a eu lieu entre 17 h 55 et 18 h 12, le 18 août 1991. A un moment où le président Gorbatchev prétendait être isolé dans sa datcha, coupé de tout moyen de communiquer.

Le maréchal Akromeiev avait été secrètement chargé par ses soins de garder le contact entre lui et l'armée... (Légère pause, puis la voix continua :) *J'ai en ma possession l'intégralité des communications échangées entre Foros et différents responsables, montrant d'une façon aveuglante que le président Gorbatchev a menti en prétendant ne rien savoir du putsch.*

Clac. La bande était finie. Malko ôta les écouteurs de ses oreilles, regarda James Pricewater, et dit d'une voix tendue :

– James, je crois que nous avons là de la dynamite.

CHAPITRE VI

James Pricewater écoutait à son tour la bande, les yeux fixés sur ses mocassins, le front barré d'un pli de concentration. Il comprenait suffisamment le russe et, de temps en temps, il hochait la tête, montrant sa surprise. Lorsqu'il ôta à son tour les écouteurs, il conclut :

– Ou bien c'est un montage diabolique, ou vous avez raison, nous tenons une pièce d'un intérêt politique sans limite. Si on obtient le reste des enregistrements, bien sûr. C'est incontestablement la voix de Mikhaïl Gorbatchev.

Emu, il se versa une grande rasade de Johnnie Walker, y ajouta un peu de glace et la but pratiquement d'un trait.

– Il faudrait tout de suite vérifier un certain nombre de points, renchérit Malko. Notamment le nom de cet Anatoly Beda et d'où pourraient venir ces fuites. Vous avez un moyen de joindre Langley?

– Bien sûr, mais pour un sujet aussi sensible, c'est impossible d'utiliser une ligne non protégée, objecta l'Américain.

– J'ai une idée, suggéra soudain Malko, prenez ma place sur le vol de Varsovie tout à l'heure. A partir de là-bas, vous pourrez communiquer avec Langley et en savoir plus. Il y a un vol demain pour revenir.

James Pricewater n'hésita qu'une seconde.

– Superbe! fit-il. Moi aussi, j'ai hâte de savoir.

Malko avait regardé décoller le Tupolev 134 de l'Aeroflot, de la fenêtre du *Lietuva*, à la fois soulagé et tendu. Katia avait sûrement cherché à s'assurer qu'il quittait la Lituanie. Peut-être serait-elle abusée par le départ de James Pricewater, utilisant son billet, mais ce n'était pas certain. A la seconde où elle apprendrait que Malko était toujours à Vilnius, elle saurait qu'il continuait sa mission. Et il serait en danger de mort.

Si la bande magnétique n'était pas un montage, ses implications étaient extraordinaires, de nature à changer l'Histoire. Il était évident que si les Américains possédaient la preuve de l'implication de Mikhaïl Gorbatchev dans le putsch d'août 91, c'était un formidable moyen de pression contre lui... A partir de là, beaucoup de questions se posaient. Pourquoi, si elle était vraie, cette histoire n'était-elle pas sortie en Union soviétique? Un homme comme Boris Eltsine l'aurait accueillie à bras ouverts, sans compter tous les ennemis du président de l'Union, et il y en avait...

Igor Trifanov et ses amis n'étaient-ils que des desperados?

Malko comprenait mieux maintenant la férocité avec laquelle Katia Boudarenko l'avait empêché d'entrer en contact avec Trifanov ou Boris Glaser. Dès que la CIA aurait su la véritable nature de leur offre, il n'aurait plus été question de laisser tomber... Sans l'insistance de Malko, le calcul de cette branche « officielle » du KGB se serait révélé bon.

Il avait encore beaucoup de points d'interrogation dans la tête, et décida d'aller prendre un verre au bar du rez-de-chaussée. Ce dernier était fermé, pour une raison mystérieuse, aussi reprit-il le chemin de sa chambre, faisant le pied de grue devant les ascenseurs, toujours très lents.

Au moment où il allait monter dans une des trois

cabines, un des cerbères qui traînaient dans le hall le tira par le bras, lui désignant l'employée du desk en train de brandir un téléphone dans sa direction. Malko fit demi-tour.

La fille lui tendit le récepteur décroché.

– Une communication pour vous.

Intrigué, Malko prit l'appareil et entendit aussitôt une voix d'homme inconnue demander abruptement en russe :

– Vous avez écouté?

Le pouls de Malko passa à cent cinquante.

– Oui...

– Cela vous intéresse?

– Bien sûr, si...

Son interlocuteur le coupa brutalement :

– Je n'ai pas le temps de discuter. Si vous êtes intéressé, venez ce soir là où vous m'avez laissé un mot. Entre dix heures et onze heures. Faites attention de ne pas être suivi. Très attention. Vous en saurez plus.

Il avait raccroché. Malko en fit autant. Se demandant comment on avait pu le cueillir avec cette précision... Soudain, il comprit : sur le mur du hall, du côté des ascenseurs, il y avait une douzaine de taxiphones. L'inconnu avait juste eu à l'observer et à composer le numéro du desk... Il monta dans sa chambre et, à peine entré, vérifia son pistolet extra-plat. Il n'avait plus rien à faire jusqu'au soir.

La sonnerie du téléphone le fit sursauter. Cette fois, la voix de Katia Boudarenko était beaucoup plus sèche.

– Vous n'êtes pas parti?

Malko prit sa voix la plus naturelle pour répliquer :

– Non, finalement, j'ai décidé de rentrer par la route. Demain matin. Un de mes amis a utilisé ma place, il avait besoin d'aller d'urgence à Varsovie.

Il y eut une pause. Visiblement, Katia ne s'était pas attendue à ce qu'il lui tienne ce langage.

– *Karacho*, finit-elle par dire. *Dosvidania*.

Ce coup de fil confirmait les craintes de Malko. Le KGB le suivait à la trace. Il ne regrettait pas d'avoir confié la bande à James Pricewater. Tant que la fiction des réseaux KGB aux USA tenait encore, il avait une chance de pouvoir discuter avec Katia... Il avait besoin de son stringer pour déjouer la filature. Il appela donc Vitas Kudaba.

– Vitas, fit-il au téléphone, j'ai décidé finalement de ne partir que demain. Nous pourrions passer la soirée ensemble. C'est possible?

Le Lituanien accepta avec enthousiasme, donnant rendez-vous à Malko à huit heures dans le hall du *Lietuva*.

*
**

Vitas Kudaba attendait dans le hall, ponctuel comme un coucou. Loin des oreilles indiscrètes, Malko lui expliqua le véritable but de la soirée. Le jeune Lituanien l'écouta attentivement avant de proposer :

– Nous allons dîner là où j'ai réservé, au *Vilnius*. Ensuite, nous irons boire un verre rue Pilies. Je vais garer ma voiture là-bas maintenant. C'est une rue étroite en sens unique. Nous sortirons du bar ensemble, mais vous prendrez ma voiture, qui est moins reconnaissable que la vôtre, et moi, celle-ci. Si quelqu'un veut vous suivre, je le bloquerai.

Ils se séparèrent à la sortie du *Lietuva*, se donnant rendez-vous au restaurant *Vilnius*.

*
**

L'orchestre du *Vilnius*, payé au décibel, agrandissait encore les lézardes des murs. Rien que du jazz et des chansons étrangères. La salle rectangulaire et mal éclairée était à moitié vide, le cerbère à la porte refusant du monde, pour ne pas trop surcharger les garçons. Système communiste. A côté de la table de Malko, six jeunes vidaient des bouteilles de vodka à une vitesse stupéfiante, tout en se goinfrant de caviar rouge. Vitas Kudaba les désigna à Malko.

– Ce sont des jeunes qui travaillent avec la mafia, des *spekulantas.* Ils gagnent des milliers de roubles par mois.

– A leur âge!

Aucun n'avait plus de vingt-cinq ans.

– Oh, ils ne tuent pas, bien sûr, corrigea le Lituanien, ils trafiquent seulement.

Un des couples s'était levé. La fille, en pull angora blanc, jeans et baskets, avait déjà le regard vitreux, déparant un mignon visage triangulaire et une jolie petite croupe bien moulée par ses jeans. Elle se colla étroitement à son cavalier et commença à onduler au milieu de la piste vide, sous l'œil réprobateur de quelques ex-apparatchiks. Son cavalier, tout aussi imbibé qu'elle, semblait ne tenir debout qu'en s'accrochant à ses fesses, la pelotant outrageusement, glissant même une main sous son pull.

Ivre morte, elle souriait béatement... Sur la banquette de skaï, leurs quatre amis étaient plus ou moins emmêlés... Vitas Kudaba eut une mimique dégoûtée.

– Tous ceux-là travaillent pour un mafioso de Klaipeda, Chourik Koutchoulory, un Ouzbek. Il contrôle tous les trafics de la Lituanie. Les jeans, la drogue, les voitures volées. Un kilo de haschich ici vaut l'équivalent de 100 dollars. De l'autre côté, en Finlande ou en Suède, il peut se vendre 10 000 dollars. On peut gagner 300 000 roubles sur une Lada volée.

Malko avait dressé l'oreille.

– A quoi ressemble-t-il? demanda-t-il.

– Il est petit et très costaud, avec une tête de brute, des cheveux frisés noirs et des dents très blanches. Il habite une superbe datcha sur la Baltique, à Palanga, où il élève des chevaux. Il ne sait que faire de son argent, il gagne des millions de roubles par mois.

– Comment savez-vous tout cela?

Vitas sourit modestement.

– J'avais fait une enquête pour mon journal *Sovietskaïa Torgorlia* (1) sur tous les mafiosi. Ils ne l'ont jamais publiée, ils ont eu peur. Ces jeunes, j'avais bavardé avec eux, ils sont très vantards. Comme je n'ai jamais rien écrit, ils pensent que je suis de leur côté.

Effectivement, le jeune poivrot qui évoluait sur la piste adressa un signe amical à Vitas en regagnant sa place...

– Ça c'est Darius, commenta le Lituanien. Son père gagne 300 roubles par mois, lui, 10 000.

– Je me demande si je n'ai pas déjà rencontré Chourik Koutchoulory, dit pensivement Malko. Quelle voiture a-t-il?

– Une Tchaika noire qu'il a rachetée au RACOM. Il en est très fier.

Malko raconta l'épisode du palais Tarnowsky. Vitas secoua la tête.

– Ça ne m'étonne pas. Chourik a toujours été en très bons termes avec les gens du KGB qui le protégeaient. C'est normal qu'il leur rende des services.

L'orchestre, ayant décidé qu'il avait assez travaillé, plia ses instruments et un silence bienheureux s'établit. Malko regarda sa montre : il était temps de se rendre à son rendez-vous. D'autres apparatchiks arrivaient, déjà éméchés. Ils sortirent, un couple s'embrassait contre un mur, flirtant outrageusement. Dès qu'ils furent dans la Mercedes, Vitas donna les clefs de sa voiture à Malko.

– Elle est un peu dure au démarrage, fit-il, mais elle marche.

Ils gagnèrent la rue Pilies et trouvèrent un « bar-

(1) Commerce soviétique.

ras » (1) où il y avait encore deux places au bar en forme de fer à cheval. Derrière, une foule d'hommes et de femmes se pressait joyeusement, un verre à la main. Cela évoquait les « pick-up bar » de la Première Avenue à New York avant le sida. Une brune époustouflante fit de l'œil à Malko, levant son verre vide.

Lui et Vitas se firent servir une vodka et le Lituanien prit un paquet de cigarettes Astra à 1 rouble. Tout ce qu'elles valaient. Impossible de voir dans cette foule si on les surveillait. Leur verre bu, Malko sortit le premier et se dirigea vers la Lada rouge garée un peu plus bas. Vitas attendit devant la porte du bar, surveillant la rue déserte. Dès que Malko fut installé au volant, il monta dans la Mercedes et mit en route sans allumer ses feux de position.

La Lada rouge déboîta et descendit vers la place de la Cathédrale. Vitas Kudaba attendit plusieurs minutes, mais aucun véhicule ne se montra. Donc, on ne suivait pas Malko.

Ils s'étaient donné rendez-vous devant l'Université, non loin du domicile de Boris Glaser. Il démarra, ravi de conduire enfin une voiture aussi moderne.

Malko remonta lentement la rue, un œil glué au rétroviseur. Pas un chat! Il passa une première fois devant l'immeuble de Boris Glaser, sans voir aucune lumière, revint sur ses pas et alla se garer dans le parking derrière l'immeuble, à côté d'une vieille Jigouli verte.

Après avoir fait passer son pistolet extra-plat dans sa poche intérieure, il gagna l'entrée du bâtiment de Glaser. Sans allumer la minuterie, il trouva la porte et appuya sur la sonnette. A cause du rembourrage il était impossible de savoir si elle fonctionnait... Au bout de

(1) Bar.

quelques minutes, lassé, il grimpa un étage et recommença. Sans plus de succès. Il restait le troisième qui ne donna pas plus de résultat. Toujours tâtonnant dans le noir, il redescendit et s'arrêta, le cœur battant : la porte du rez-de-chaussée était faiblement entrouverte!

Il écouta, le pistolet à la main, n'entendant plus que les battements de son cœur. Le silence était impressionnant et ses oreilles commençaient à bourdonner. Il se décida à pousser la porte du pied. Elle bougea à peine comme si quelque chose la retenait. Il n'osait pas allumer. Poussant avec son épaule, il gagna encore une vingtaine de centimètres. Toujours aucun mouvement. Il se dit que si on lui avait tendu un guet-apens, il serait mort depuis longtemps. A quatre pattes, balayant le sol d'une main afin de vérifier si on n'avait pas disposé un fil relié à un dispositif explosif, il pénétra dans la pièce. Une faible lueur filtrait à travers la fenêtre, venant de la rue.

Le silence était minéral. Pistolet au poing, ses yeux s'accoutumant à l'obscurité, il « sentit » la pièce. Aucune présence. Il se releva un peu et distingua une masse noire contre la porte. Un peu comme un énorme portemanteau. Il était temps de progresser. A tâtons, il trouva un interrupteur et appuya, le pouls accéléré.

Deux ampoules s'allumèrent en même temps, lui faisant découvrir un spectacle abominable.

L'homme avec qui il avait rendez-vous était bien là. C'était le jeune blond aux moustaches tombantes qui lui avait glissé la boîte en papier mâché à l'entrée du *Lietuva*. Il était cloué à la porte comme une chauve-souris. Une baïonnette de Kalachnikov dans la poitrine et quatre autres dans les bras et les jambes. Le sang avait dégouliné sur le sol en fines rigoles, prouvant qu'il était encore vivant lorsqu'on lui avait fait subir ce traitement... Il avait les yeux ouverts, et un gros hématome sur la bouche. Malko le fouilla, à tout hasard, sans rien trouver, qu'un pistolet de petit calibre.

Un courant d'air l'alerta. Il chercha son origine et

déboucha sur la cuisine dont la porte était entrouverte... Le ou les assassins étaient là lorsqu'il avait sonné!

Pistolet au poing, il monta l'escalier intérieur en colimaçon. C'est au troisième qu'il découvrit la veuve de Boris Glaser, au milieu d'un lit en désordre. On l'avait étouffée sous un oreiller avant de lui tirer deux balles dans la tête. Il y avait des plumes partout... Du travail de professionnels. Pourtant, il était certain de ne pas avoir été suivi. Donc, c'était de l'autre côté que cela avait foiré... Il redescendit, atterré, et regagna sa voiture avec mille précautions, mais rien ne se passa. Glacé d'horreur, il prit la direction de l'Université. La pompe à essence donnait des signes de faiblesse et il se demanda s'il allait y arriver. Vitas Kudaba vint au-devant de lui.

– Alors?

Malko lui raconta. Le « stringer » affolé, tira encore plus sur sa cigarette.

– Séparons-nous ici, conseilla Malko cela vaut mieux. Je vous appelle demain.

Il prit la direction du *Lietuva*. Cette fois, c'était la guerre. Avant d'atteindre son étage, il sortit son pistolet et fit monter une balle dans le canon.

Le couloir était vide et la *dejournaïa* dormait sur son bureau. En pénétrant dans sa chambre, il vit immédiatement qu'elle avait été mise sens dessus dessous. Fouillée avec soin. Il s'assit sur le lit.

A partir de cet instant, les choses redevenaient normales : la guerre était déclarée, comme dans le bon vieux temps. L'homme cloué à la porte n'était pas celui qui lui avait parlé au téléphone, les voix ne correspondaient pas. Or, cet inconnu ne devait pas être de l'espèce à se décourager.

Katia Boudarenko non plus.

C'était une mortelle lutte contre la montre. Qui, de Katia ou de Malko, allait retrouver le premier l'inconnu du téléphone?

CHAPITRE VII

Il régnait une énorme pagaille dans le hall du petit aéroport de Vilnius. Une foule hétéroclite encombrée de bagages invraisemblables bloquant le passage, assiégeant les rares employés en bleu de l'Aeroflot. Malko poireautait debout, l'unique bar n'ouvrant qu'à des heures mystérieuses et imprévues. Les vols ayant couramment plusieurs heures de retard, le hall ressemblait à un squatt bondé. Enfin, le haut-parleur à peine audible annonça le vol en provenance de Varsovie. Juste deux heures de retard... Malko avait mal et peu dormi, son pistolet extra-plat à portée de main, une chaise coinçant sa porte.

Une question lancinante le taraudait : l'homme qui lui avait téléphoné était-il encore vivant?

Si ce n'était pas le cas, Malko ne risquait plus rien. Le seul moyen d'être fixé était d'attendre. S'il était toujours en vie, il allait forcément reprendre contact avec Malko, d'une façon ou d'une autre.

Il y eut une bousculade, les passagers de Varsovie déboulant dans la salle des bagages à l'unique convoyeur en panne. Malko aperçut le crâne dégarni de James Pricewater. Une grosse serviette à la main, l'Américain fonça sur lui, le visage soucieux.

– Vous avez fichtrement bien fait de m'envoyer à Varsovie! fit-il à voix basse.

Il semblait tout excité, mais ne se dévoila qu'une fois dans la voiture de Malko.

– *Holy shit!* lança-t-il, vous avez mis la main sur le truc du siècle. J'ai dû passer cinq heures cloué au fax avec Langley. Ils ne pouvaient plus s'arrêter. Vous avez eu des nouvelles de votre vendeur?

– Mauvaises, précisa Malko.

L'homme de la CIA écouta le récit des deux meurtres, une grosse ride au milieu du front, puis se mordit la lèvre.

– Pourvu que ces salopards n'aient pas mis la main sur notre source!

– Commençons par le commencement, dit Malko. Avez-vous identifié positivement la voix de Mikhaïl Gorbatchev?

– Sans aucun doute possible. Langley a fait analyser l'enregistrement par une machine électronique hypersophistiquée. Nous avons en plus, le niveau de stress, les heures de la journée où les communications ont été données, et même l'environnement est défini. C'est tout juste si cela ne vous dit pas la couleur de sa cravate.

– Et celui avec qui il dialoguait?

– Même topo, avec moins de recoupements, la bande était très courte et il n'a pas dit une phrase entière.

– Est-ce que cela peut être un montage?

– Les gens de la TD (1) affirment que non. Mais il y a plus intéressant, apporté par la station de Moscou. Le dénommé Anatoly Beda était bien le responsable de toutes les communications secrètes de Gorbatchev.

– Pourquoi « était »?

– Parce qu'on l'a accusé de la rupture des communications avec la datcha de Foros. Tout de suite après le putsch, un mandat d'arrêt a été lancé contre lui. Seulement, il s'est enfui et, à ce jour, personne ne sait où il se trouve.

(1) Technical Division.

– Est-ce que cela pourrait être lui, mon interlocuteur?

– Pas impossible. En tout cas, il est le seul à avoir pu obtenir ces enregistrements. Pour le reste... Nous n'avons pas encore assez d'informations sur ce qui s'y passe en ce moment entre les différentes factions du KGB. Entre les règlements de compte et l'épuration...

– Que dit Langley de cette affaire?

James Pricewater émit un croassement ravi.

– Ils ne parlent pas, ils grimpent aux murs! Et pas seulement Langley! La Maison Blanche a été mise au courant et le Président a aussitôt signé un « finding » donnant les pleins pouvoirs à la Company pour récupérer ces fichus documents.

– Même en les payant très cher?

– Ils sont prêts à allonger un prix fou après avoir vérifié leur authenticité, confirma James Pricewater. Apparemment, ils ont mis ça en haut de leur agenda... D'ailleurs, ils vous envoient par retour du courrier MM. Chris Jones et Milton Brabeck qui vont officiellement venir assurer la protection de ma délégation.

Malko comprenait facilement l'intérêt du président Bush. L'Union soviétique était à un tournant historique. Derrière les structures de l'Etat communiste en plein effondrement, se profilaient d'autres pouvoirs, encore flous et contradictoires.

Personne ne savait *vraiment* comment allait évoluer ce magma de trois cent millions d'hommes, privé de l'épine dorsale communiste. Sur les ruines du Parti, pouvait naître un nouvel Etat totalitaire, une mosaïque de nations ou le chaos.

Même diminué, Mikhaïl Gorbatchev tenait encore beaucoup de cartes en main. Le décryptage de ces conversations permettrait peut-être de savoir où il voulait *réellement* se diriger. Et, éventuellement, de l'influencer. Cela donnerait aussi un coup de projecteur sur des personnages dont on savait peu de choses mais qui jouaient un rôle important en coulisses. Et, qui sait, prévoir un second putsch...

Même si, officiellement le KGB était démantelé, il conservait encore *de facto* un énorme pouvoir. Or, les Américains savaient très peu de choses sur ceux qui avaient joué un rôle dans le putsch du 18 août. Ils auraient peut-être des surprises.

Bref, si le correspondant de Malko ne s'était pas avancé, les documents qu'il détenait pouvaient véritablement infléchir le cours de l'Histoire. Et pas seulement en faisant chanter Mikhaïl Gorbatchev.

Ils étaient presque arrivés au *Draugyste.*

– Ils n'ont pas été surpris à la Maison Blanche? demanda-t-il.

– Pas totalement. Ils savaient déjà que Gorbatchev leur avait menti en prétendant avoir été dans l'impossibilité de communiquer avec le monde extérieur. C'est la NSA qui lui a fourni son matériel de transmission avec un relais satellite. Il a deux bases fixes, l'une au Kremlin, l'autre à Foros. Ces deux bases n'ont jamais été envahies par les putschistes. Donc, Gorbatchev disposait de sa mallette téléphone. Il était le seul à pouvoir se mettre hors circuit. D'autre part, il n'y a pas eu, comme il l'avait prétendu, de mouvements de navires de guerre autour de la presqu'île où se trouve sa datcha.

– Il aurait donc manigancé le putsch? remarqua Malko.

– Nous n'en sommes pas là... Mais qu'il ait été au courant est la théorie de plus en plus admise. Si nous mettons la main sur les documents qu'on vous a proposés, nous en aurons le cœur net. En plus, cela peut nous donner un tableau exact du pouvoir soviétique *réel.* Quelque chose que nous ne possédons pas.

– Aucune idée de l'identité de ceux qui veulent empêcher cette transaction? interrogea Malko.

L'Américain eut un geste d'impuissance.

– Si, des idées, il y en a des tas... Comme le KGB a

éclaté en plusieurs tendances, il y a le choix. Cela peut être des Kagébistes partisans de Boris Eltsine qui veulent récupérer des biscuits pour manipuler Gorbatchev. Ou alors, des partisans de ce dernier qui désirent lui sauver la mise. Ou encore des putschistes qui craignent de se voir accusés.

– Et ceux qui offrent cette dynamite?

James Pricewater frotta son pouce contre son index.

– L'explication est simple... Si certains types du putsch sont pourchassés, ils ont peut-être envie de refaire leur vie ailleurs. Cela demande de l'argent.

Boris Glaser et Igor Trifanov ne referaient plus leur vie nulle part... Malko et l'Américain se séparèrent. Malko regagna le *Lietuva.* Tant que son mystérieux correspondant ne le rappellerait pas, il était réduit à attendre comme une chèvre attachée à un piquet.

***

Comme toujours, une foule compacte se pressait en face des trois ascenseurs du *Lietuva.* Malko attendait patiemment, noyé au milieu des musiciens d'un groupe de musique pop. La cabine de gauche arriva et les musiciens s'y ruèrent, entraînant Malko. Celui-ci, coincé entre une contrebasse et un musicien hirsute, aperçut du coin de l'œil la cabine du centre arrivant à son tour.

Une demi-douzaine de personnes attendait encore. Malko ressortit de la cabine au moment où les portes se fermaient et bondit dans celle du centre.

Celle-ci stoppa au 7e, au 11e et, au 17e, il n'y avait plus que lui. Comme il approchait de son étage, le 18e, il entendit des bruits étouffés, comme une pétarade de moto.

Quelques secondes plus tard, il arrivait au 18e et les portes de la cabine s'ouvraient. Il fut accueilli par un tumulte assourdissant. Plusieurs armes automatiques tiraient sur le minuscule palier! Il tourna la tête vers la droite et aperçut trois hommes, en tenue paramilitaire, armés de carabines Kalachnikov, concentrant leur feu sur l'intérieur de la cabine de gauche qui venait d'arriver! Tout à leur besogne, ils ne l'avaient pas vu.

Un flot d'adrénaline envahit ses artères. En une fraction de seconde, il fut à la porte de l'escalier de service. Un des trois tueurs tourna la tête et l'aperçut. Il pivota aussitôt, l'arme à la hanche, cria quelque chose à ses voisins et ouvrit le feu sans hésitation.

Malko avait eu le temps de franchir la porte et les projectiles frappèrent le mur derrière lui, brisant une fenêtre, faisant jaillir d'énormes éclats de bois et de plâtre, comme si chacun d'eux avait été une grenade. Ils utilisaient des balles dum-dum, interdites dans tous les pays civilisés. Un seul impact vous déchiquetait! En trois bonds, Malko avait descendu un étage, arrachant son pistolet de sa ceinture. Il n'eût qu'à ôter le cran de sûreté pour le rendre opérationnel...

Arrivé un étage plus bas, il leva la tête. Un des tueurs était penché au-dessus de la rampe, cherchant sa cible. Un visage brutal d'Asiate, avec un bonnet de laine noire enfoncé jusqu'aux yeux. Il n'eut pas le temps de se servir à nouveau de sa Kalach. Malko, le bras tendu, visa et tira deux fois. On ne plaisante pas avec des balles dum-dum. Sa première balle blindée s'enfonça dans la joue du tueur, traversant ensuite son cerveau. Tué sur le coup, il glissa le long de la rampe et s'étala pratiquement aux pieds de Malko.

Ce dernier ne fit qu'un bond, s'emparant de la Kalach du mort. Il était temps, les deux autres déboulaient à sa poursuite.

Tranquillement, il commença à balayer le mur, juste à l'endroit où ils allaient passer. Les morceaux de ciment et de plâtre jaillissaient dans tous les coins au milieu d'un nuage de poussière. Les deux tueurs n'eurent pas le temps de freiner leur élan. Ils se jetèrent littéralement sous ses projectiles. L'un d'eux lâcha une rafale avant de basculer par-dessus la rampe, pour s'écraser dix-huit étages plus bas. Malko se redressa, encore sur ses gardes. Plus aucun bruit ne venait du 18e étage. Il remonta, Kalach au poing, et parvint au palier.

La porte de l'ascenseur était toujours ouverte, coincée par un corps. A l'intérieur, se trouvaient les cadavres d'un homme et d'une femme, déchiquetés par les balles dum-dum. Malko regarda pensivement les morts. Les tueurs avaient dû être prévenus par un complice qui leur avait indiqué dans quel ascenseur Malko était monté. S'il n'avait pas changé à la dernière minute, il serait là, baignant dans son sang.

Ce massacre n'allait pas tarder à déclencher un beau charivari... Malko se hâta de gagner sa chambre, d'y déposer la Kalach avant de revenir sur le palier. Trente secondes plus tard, une des cabines arriva, pleine de policiers en uniformes verdâtres, pistolet au poing!

Ils entourèrent Malko, seul être vivant sur le palier, l'assaillant de questions dans leur langue. Il répliqua en russe, expliquant qu'il était arrivé après le massacre.

Des policiers découvrirent alors les trois cadavres des tueurs et revinrent vers lui, soupçonneux. Les choses se gâtèrent vraiment lorsqu'il fut obligé de les mener à sa chambre et qu'ils découvrirent la Kalach et son pistolet... C'est menotté qu'on le jeta dans un des ascenseurs.

***

Vaslovas Varmontas était un homme sympathique aux yeux très bleus, mince. Ex-colonel de la milice, il avait été chargé de réorganiser la police lituanienne. Il adressa un sourire plein de confusion à Malko.

– Je suis désolé, mes hommes ne savaient pas.

Malko avait été amené directement au ministère de l'Intérieur, Gostauto gatve, au bord de la rivière. Heureusement, les policiers qui l'avaient arrêté avaient accepté de prévenir Vaslovas Varmontas. Celui-ci étant en liaison quotidienne avec James Pricewater, les choses s'étaient rapidement améliorées. En effet, la CIA allait discrètement financer le nouvel organisme de sécurité des Lituaniens. Ce qui lui donnait un certain poids. Débarrassé de ses menottes, Malko avait eu droit à un café – un luxe inouï.

– Les tueurs ont été identifiés, continua le policier. Ce sont trois Omons déserteurs qui avaient déjà commis un hold-up. Ils avaient gardé leurs papiers militaires.

Malko échangea un regard avec James Pricewater qui l'avait rejoint. Les Omons étaient les troupes du ministère de l'Intérieur soviétique, des unités spéciales créées en 1988, connues pour leurs exactions. En majorité des anciens d'Afghanistan du général Gromov. En Lituanie, durant les troubles, ils avaient tiré sur la foule et tué plusieurs personnes. Depuis le putsch, leurs unités avaient rejoint en Biélorussie la division Vitebsk, sauf une vingtaine d'entre eux qui avaient déserté avec leurs armes.

Apparemment, pas perdus pour tout le monde.

– Savez-vous pourquoi ces hommes vous ont attaqué? demanda Vaslovas Varmontas.

James Pricewater répondit à la place de Malko. Plutôt embarrassé.

– Mr. Linge appartient à la même maison que moi. Il est en mission à Vilnius pour entrer en contact avec des défecteurs du KGB qui ont des documents à vendre.

Cette révélation n'eut pas l'air de plaire au policier lituanien.

– Cela m'intéresse, moi aussi, dit-il vivement. Nous ne connaissons toujours pas les réseaux d'informateurs du KGB en Lituanie.

James Pricewater lui ôta tout de suite ses espoirs.

– Cela ne concerne hélas, pas votre pays. Il s'agit d'agents du Premier Directorate qui ne travaillent pas contre la Lituanie, mais contre mon pays. Vous n'avez aucune idée de l'endroit où ces Omons se trouvent depuis leur désertion?

– En général, ils se cachent dans les bois, mais je me demande si certaines unités soviétiques n'en ont pas recueillis, répliqua le policier lituanien qui semblait se satisfaire de l'explication de James Pricewater. Ici, à Vilnius, il y a plusieurs casernes de l'Armée rouge où nous n'avons pas le droit d'aller. Je sais, par exemple, que la délégation du KGB venue de Moscou pour participer à la remise des documents concernant la Lituanie est logée à la Cité du Nord, la caserne de la Division motorisée 107.

Cela fit tilt dans la tête de Malko. Katia Boudarenko était en contact avec eux : le lien était établi.

– Comment ces hommes sont-ils entrés au *Lietuva?* interrogea Malko. Ils avaient des armes plutôt encombrantes.

Le policier eut un sourire plein de tristesse.

– Cela, nous le savons... Un des gardes de l'entrée les a laissés pénétrer. Ils lui ont donné cent roubles et ont prétendu venir vendre des appareils électro-ménagers. Cela arrive souvent, vous savez...

Un ange passa chargé de lourdes valises. On était dans l'univers du marché noir et de la combine. Le policier tendit à Malko son pistolet extra-plat, accompagné d'un papier.

– Je vous ai établi un permis d'armes, dit-il, nous sommes maintenant dans un Etat de droit. Même les gens du KGB ont rendu leurs armes. J'espère que votre séjour à Vilnius se passera bien. Je n'aimerais pas qu'il vous arrive quelque chose.

Ils se quittèrent sur une poignée de main chaleureuse. Lorsqu'il monta dans la Mercedes de James Pricewater, Malko eut l'impression que la portière faisait un drôle de bruit... Comme un coffre-fort. L'Américain sourit.

– Elle est blindée! On l'avait fait venir de Washington à tout hasard. Je vais vous la prêter car vous en aurez plus besoin que moi. Voulez-vous dîner avec moi à l'hôtel, que nous fassions le point?

*
**

Les zakouskis du *Draugyste* étaient exactement semblables à ceux du *Lietuva*, mais l'ambiance du restaurant beaucoup plus sinistre.

Pour la combattre, James Pricewater puisait généreusement dans la bouteille de Johnnie Walker posée sur la table et facturée au prix de l'or en barre.

– Venez habiter dans cet hôtel, conseilla-t-il à Malko. En attendant que Chris et Milton arrivent. Ici, avec tous nos gars, vous pouvez bénéficier d'une meilleure protection.

– Impossible. L'homme qui doit me contacter n'a que mon numéro au *Lietuva*. C'est le seul fil que je tienne pour l'instant. Pas question de le lâcher.

– Et s'il ne donne pas signe de vie?

– Vous l'avez dit vous-même, il y a un « finding » du Président. Je ferai tout ce que je peux pour le retrouver. Ce qui ne sera pas facile, je ne connais même pas son nom.

Tous ceux qui pouvaient le mener à lui étaient morts... Vraisemblablement, les comploteurs venaient de Moscou. Pourquoi avaient-ils choisi Vilnius et Varsovie comme première base de contact? Anatoly Beda n'était pas lituanien. Malko devait élucider ce point avant tout.

– Pouvez-vous essayer de savoir par la station de Moscou si ce Beda n'aurait pas des attaches dans la région, en Lituanie ou en Biélorussie? demanda-t-il.

– Vous êtes sûr qu'il s'agit de Beda?

– Non. Mais c'est possible et, de toute façon, on ne peut pas compter sur le KGB pour nous fournir la liste des éventuels transfuges.

Ils finirent leur repas. Malko, en reprenant la voiture blindée au parking, avait le cœur qui battait un peu plus vite. Il se sentait plus en sécurité derrière le blindage. Le poids du véhicule l'obligeait à une conduite ralentie. C'était un véritable monstre.

C'était frustrant d'être à un fil d'une information capitale et de ne rien pouvoir faire.

Vilnius, la nuit, était très calme, un fin crachin faisait briller l'asphalte. Il se dit qu'en dehors des trois Omons qu'il avait abattus, quatre personnes avaient déjà payé de leur vie pour cette affaire... Il se gara juste en face du *Lietuva*. Le hall était désert. Quand il voulut prendre sa clef, elle n'était pas là.

– La *dejournaïa* va vous ouvrir, dit la réceptionniste.

Malko monta jusqu'au vingtième, par prudence, et redescendit à pied. Le couloir était vide. Pas de *dejournaïa* en vue. Il ouvrit sa porte, pistolet au poing.

Katia Valentina Bouderenko l'attendait, de pied ferme dans le couloir.

CHAPITRE VIII

– Bonsoir, fit la jeune Soviétique avec un naturel parfait.

Malko était abasourdi par son culot.

– Ainsi vous avez renoncé à tenter de m'assassiner ce soir? demanda-t-il ironiquement.

– Je ne suis pas responsable de toutes les décisions qui se prennent, argumenta-t-elle, très logiquement. Ne revenons pas sur le passé.

Elle ne s'encombrait de rien et passait très vite à la phase suivante. Il remarqua une certaine lassitude dans son regard et son attitude n'avait plus rien de provocant. Malko avait devant lui une femme fatiguée qui savait que le système auquel elle appartenait s'effondrait et que son avenir était derrière elle. Elle s'assit sur un des lits jumeaux, croisa les jambes, puis alluma pensivement une cigarette :

– Il y a au-dessus de moi des gens extrêmement puissants, énonça-t-elle d'une voix lente, – au plus haut niveau –, qui sont décidés à ce que ces documents ne tombent pas entre les mains d'étrangers. Et ils font tout pour éviter que cela se produise.

– J'ai vu ça, répliqua Malko, mais je n'ai eu aucun nouveau contact depuis notre dernière conversation.

A menteur, menteur et demi.

Katia le fixa gravement :

– Que faisiez-vous alors au domicile de Boris Glaser?

Au moins, on jouait cartes sur table.

– Pourquoi ne pas m'avoir abattu à ce moment-là?

– Nous ne cherchions pas à vous supprimer.

– Et les Omons?

– Une décision hâtive, prise sans me consulter. Pour certains, votre simple présence à Vilnius constitue un danger.

– Et le double meurtre de Boris Glaser et de sa femme? C'était pour rire?

Elle haussa les épaules.

– Nous avions averti la veuve de Boris Glaser de ne pas se mêler de cette affaire. Cette imbécile nous a défiés, croyant que les autorités lituaniennes allaient la protéger. Comme si ce pays pouvait faire quelque chose contre notre organisation! Malgré les coups qui nous ont été portés, nous sommes encore très forts et prêts à préserver les intérêts de l'Union. Rien qu'à Vilnius, 700 agents continuent à obéir au Centre et à être payés par lui.

Ses yeux gris brillaient d'une fureur rentrée. Malko se dit qu'il avait rarement rencontré une stalinienne aussi belle!

– Que voulez-vous vraiment? demanda-t-il. Vous savez bien que moi aussi je suis intégré à une organisation qui me donne des instructions. C'est la saison de la chasse et je préférerais de beaucoup être dans mon château à Liezen. En dehors de vous, Vilnius a des charmes limités. Alors, venons-en aux faits.

Katia Boudarenko s'arracha un sourire.

– *Spasiba, Barin.* C'est vrai, je suis venue vous faire une proposition. Vous avez pu vérifier auprès de vos amis qu'un accord avait été passé entre nos deux maisons au sujet de cette tentative de détournement de documents.

– Oui, admit Malko.

Avant la glasnost, l'Occident aurait accueilli avec une

parade sur Broadway un défecteur du KGB. Maintenant, on le snobait. Le monde évoluait vite. Si ça continuait, KGB et CIA allaient fusionner pour ne plus faire qu'une grande et heureuse famille...

– Puisque c'est ainsi, continua Katia, pourquoi ne pas collaborer?

– Comment?

Elle croisa et décroisa les jambes.

– Passons un accord, suggéra-t-elle. Si vous êtes contacté à nouveau, vous donnez suite, vous récupérez les documents et vous me les remettez.

C'était énorme.

– Et s'il faut payer?

– Dans ce cas, réagit-elle, vous vous contentez de nous mettre au courant du rendez-vous final. Et nous y allons ensemble. Vladimir Bazarnov sera surpris, ce salaud...

Malko réussit à ne pas broncher. Qui était Vladimir Bazarnov? Pourquoi Katia mentionnait-elle ce nom? Elle était donc certaine que Malko le connaissait.

Cette conversation lui apportait plusieurs enseignements.

D'abord, Katia semblait ignorer que Malko était au courant du véritable enjeu de cette mortelle course au trésor : les bandes des conversations secrètes entre Mikhaïl Gorbatchev et d'autres dirigeants. Ce qui lui permettait de faire cette extraordinaire proposition à Malko. S'associer pour récupérer la liste des agents de la ligne S, dont la CIA ne voulait pas pour des raisons politiques.

Ensuite, le KGB était en piteux état pour être dans l'obligation de « s'accrocher » ainsi à Malko, même compte tenu des nouvelles circonstances. Normalement, sur un territoire qu'il contrôlait encore partiellement, il aurait dû être à même de régler le problème tout seul.

Enfin, Katia avait commis sa première erreur en donnant le nom de Vladimir Bazarnov à Malko. Il allait peut-être enfin pouvoir faire autre chose qu'attendre.

Il fallait continuer cette partie de poker-menteur.

– Il faut que j'en réfère à mes chefs, dit Malko.

– Bien sûr, fit la Soviétique en se levant. Voulez-vous me donner votre réponse, disons, après-demain?

– Choisissez vous-même le restaurant où nous nous retrouverons. Je vous invite à dîner. De préférence dans un endroit calme...

– Dans ce cas, retournons au *Stiklai*, suggéra la jeune femme. Rejoignez-moi là-bas directement, à neuf heures.

Après une légère hésitation, elle l'embrassa, sans ouvrir les lèvres, à la russe. Au moment où elle sortait dans le couloir, la *dejournaïa* passait, et elle s'arrêta net devant Katia. En lui jetant un regard noir elle l'interpella en russe :

– Qui es-tu, toi? Tu as l'autorisation de travailler ici? Je ne t'ai jamais vue.

Les traits de Katia se figèrent et le sang se retira de son visage. Puis sa main se détendit et, à toute volée, elle gifla la grosse femme, quatre fois d'affilée, la repoussant de l'autre côté du couloir. Les dents serrées, le corps penché en avant, vibrante de haine. L'autre couinait en essayant maladroitement de parer. Bloquée contre le mur, elle se tassa, protégeant son visage de son bras replié.

– Retourne dans ton fumier, saleté! lui lança Katia, sinon, je t'y conduis à coups de pied. Et attends de savoir à qui tu as affaire...

La grosse *dejournaïa* fila en rasant les murs, reniflant et pleurnichant. Katia la suivit des yeux et grommela :

– Toutes ces salopes travaillent pour les macs des putes de cet hôtel, expliqua-t-elle. Avant, elles nous renseignaient pour cinquante roubles par mois. Elles ont oublié. Il est bon de temps en temps de leur rappeler ce qu'elles sont.

Sans un mot, elle se dirigea vers l'ascenseur, frappant le sol de ses bottes noires.

Malko la suivit pensivement des yeux. Dans un pays qui avait subi trois quarts de siècle de communisme, la démocratie était encore une notion totalement abstraite. Des Katia, il y en avait des millions en Union soviétique. Prêtes à se rallier à n'importe quel régime au fumet vaguement totalitaire. Il n'aurait pas aimé se trouver en face d'elle lors d'un interrogatoire.

– Qui est Vladimir Bazarnov?

James Pricewater fit demander le « bottin » du KGB établi par la CIA à partir des informations recueillies chez des défecteurs. Il le compulsa quelques instants et s'arrêta net :

– Voilà. Vladimir Ivanovitch Bazarnov. 62 ans, né à Minsk, Biélorussie. Obtient une bourse de 500 roubles en 1947 pour intégrer l'école du KGB à Moscou. Il y entre en 1951, après des cours d'anglais accéléré, puis est envoyé immédiatement à New York, sous couverture de l'Aeroflot. Expulsé un an plus tard. Ensuite, retour à Moscou, puis direction de la Suède...

– Son dernier poste? l'interrompit Malko.

– Adjoint au directeur général du KGB, le camarade Krioutkov. L'un des instigateurs du putsh d'août 1991...

A ce poste, Bazarnov pouvait parfaitement avoir eu accès aux documents proposés à Malko.

– Comment peut-on le retrouver?

– Je vais immédiatement envoyer un fax à la station de Moscou, proposa l'Américain.

– Très bien. Recontactez-moi dès que vous aurez des informations.

Malko regagna le *Lietuva,* et rejoignit sa chambre pour attendre l'appel.

Il traîna quelques heures pour tuer le temps dans la

galerie marchande derrière l'hôtel. Les boutiques offraient des éventaires squelettiques et lorsqu'il y avait quelque chose payable en roubles, il fallait fournir un nombre équivalent de *vagnorkas*, sorte de monnaie parallèle fournie aux seuls citoyens lituaniens, pour éviter que les habitants de la Biélorussie voisine se ruent sur leurs pauvres trésors.

Rentré à l'hôtel, il prit un bain dans sa minuscule baignoire, sans se laver vraiment d'ailleurs, le savon soviétique ne fondait pratiquement qu'à la flamme d'un chalumeau.

C'est à ce moment que le téléphone sonna.

– J'ai eu votre information, annonça James Pricewater. L'homme en question a disparu de Moscou le lendemain du putsch. Il y a un mandat d'arrêt contre lui. On dit à Moscou qu'il a embarqué sur un des deux vols Air France du 23 août. Il s'est probablement réfugié à Cuba.

– A mon avis, il n'est pas parti si loin, fit Malko.

Il restait à transmettre à Langley, en clair, la proposition de Katia. Et attendre.

Deux jours d'inaction. Epuisants pour le moral. Malko avait arpenté les rues tortueuses de la vieille ville, hélas en piteux état, jusqu'à plus soif. A part le centre, il n'y avait que de hideux clapiers en béton déjà grisâtre. Pas une boutique, pas de cafés, uniquement des marchands de glace partout.

Malko savait par cœur le menu des restaurants du *Lietuva* où il manquait toujours quelque chose. La gastronomie de Vilnius était extrêmement limitée... Même au petit déjeuner, il fallait acheter le café en sachet à part, pour la modique somme de 1 rouble (1). Langley avait répondu positivement à la proposition de

(1) Environ 15 centimes.

Katia. Mais Malko devait attendre le dîner du soir, ne sachant pas où la joindre.

Pour se détendre un peu, il décida d'aller une fois de plus se promener dans la galerie marchande. En face d'une agence de voyages, un groupe compact se battait pour acheter des billets de train pour la Pologne. Il entra dans le bazar en face de l'hôtel et commença à errer le long des rayons à peu près vides de marchandises. Il était plongé dans la contemplation d'une collection de pin's lorsqu'une voix demanda derrière lui, en russe :

– Vous voulez me suivre?

Malko se retourna. Noyé dans la foule, un grand garçon costaud à la tignasse blonde, les mains dans les poches de sa canadienne, l'air plutôt voyou, regardait par-dessus son épaule. Comme Malko ne bougeait pas, il le saisit par la manche de son imperméable et le tira en arrière. Il n'avait pas l'allure quémandeuse des trafiquants de dollars ou de caviar, aussi Malko le suivit-il. Le cœur battant. C'était peut-être le contact attendu.

Ils ressortirent du magasin, l'inconnu à bonne distance devant lui, puis descendirent l'escalier en plein air menant au niveau inférieur de la galerie marchande. L'homme s'arrêta quelques instants pour téléphoner d'une cabine publique puis s'engagea dans un sentier traversant le parc descendant en pente douce jusqu'à la rivière. Une route, Upes gatve, le coupait d'est en ouest.

Une Lada vert pomme était garée le long du trottoir le capot vers l'ouest. L'inconnu en prit le volant et mit en marche, tandis que Malko s'installait à côté de lui. Ce devait être une voiture volée car il y avait un enchevêtrement suspect de fils sous le tableau de bord.

– Où allons-nous? demanda Malko.

– Sur l'autoroute de Klaipeda, répondit son « kidnappeur ».

– Qui êtes-vous?

– Je m'appelle Sacha. On m'a demandé de vous emmener à un certain endroit pour une certaine somme. C'est tout.

– Comment m'avez-vous reconnu?

L'inconnu sourit.

– Je vous surveille depuis deux jours...

Le silence retomba. Ils étaient sortis de Vilnius et roulaient sur l'autoroute en direction de Kaunas et Klaipeda. Presque seuls. Le paysage était plat, coupé de quelques bois de bouleaux, de rares isbas, et des gens dans les champs en train de ramasser des pommes de terre.

Ils passèrent l'écriteau indiquant Vievis. Quelques kilomètres plus loin, le blond ralentit et s'arrêta en pleine campagne.

– On est arrivés, annonça-t-il.

Il désignait, de l'autre côté de l'autoroute, une station-service fermée avec l'éternel écriteau *Rimont* accroché aux trois pompes rouillées. Personne en vue.

– Allez-y, insista le jeune homme, il est sûrement là.

– Vous m'attendez?

– *Da.* Mais ce sera 5 000 roubles. Ou cent dollars.

Malko accepta et sortit de la Lada 9 et traversa en courant le freeway, sous un vent glacial. De près, les pompes étaient de vrais tas de ferraille. Le guichet condamné par des planches. Il fit le tour, la main dans la poche de son imperméable serrant la crosse de son pistolet. Il se retourna : le jeune homme avait soulevé le capot de sa Lada, spectacle familier dans les pays de l'Est. Ou il avait vraiment un problème, ou il voulait donner le change...

Malko avança encore, contournant un bâtiment fermé qui avait été une boutique de pièces détachées.

Il s'arrêta net au coin. Un homme se tenait debout à côté d'une Volga, un court pistolet-mitrailleur Skorpio au poing, protégé par la portière ouverte. Derrière lui, filait un sentier menant à une route secondaire. Il avait des cheveux très noirs rejetés en arrière, des lunettes fumées, un visage plat et énergique, avec une grande bouche dont les coins tiraient vers le bas. De la main gauche, il fit signe à Malko d'avancer et lança en russe :

– Otez les mains de vos poches. Lentement.

Malko obéit. L'autre baissa imperceptiblement le canon de son arme.

– Vous êtes Malko Linge?

– Oui.

– Lancez-moi votre passeport.

De nouveau, Malko dut s'exécuter. Toujours de la main gauche, son interlocuteur feuilleta le document et le reposa sur le capot.

– *Karacho.*

– Vous êtes Vladimir Bazarnov?

Le Soviétique marqua un instant de surprise, puis inclina la tête avec un sourire imperceptible. Et Dieu sait s'il n'avait pas l'air gai...

– *Da.* Je suis Vladimir Bazarnov.

C'était la voix de l'homme qui lui avait fait la proposition téléphonique concernant les bandes.

– Vous étiez le numéro 2 du KGB, dit Malko. Comment un homme aussi puissant que vous en est-il réduit à se cacher comme un malfaiteur?

Vladimir Bazarnov tordit sa bouche en une grimace pleine d'amertume. Le vent glacial renforçait l'atmosphère sinistre.

Il ignora sa question et poursuivit :

– Vous possédez les éléments de l'accord que je vous propose. Vous en avez parlé à vos chefs? Etes-vous d'accord pour traiter avec moi?

– En principe, oui, dit Malko, mais nous avons besoin de certaines précisions. D'abord, cela ne pourrait pas être un montage?

– Un montage! Tout est vrai et partiellement vérifiable. Demandez-vous plutôt pourquoi le maréchal Akromeiev s'est pendu... Nous possédons tous les renseignements des communications données par le président Gorbatchev durant les trois jours du putsch sur ce réseau secret. *Tous*, répéta-t-il. Ils sont à votre disposition pour vingt millions de dollars.

Il se tut. Il n'avait pas lâché son Skorpio et le moteur de la Volga tournait, faisant bouger un petit ours en peluche accroché au rétroviseur. On le sentait traqué, sur ses gardes.

– Pourquoi faites-vous cela? demanda Malko. Je connais votre parcours. Vous êtes un communiste et un nationaliste. Même pas corrompu. Vous n'ignorez pas les conséquences de votre acte.

Il avait frappé juste.

Le visage de Vladimir Bazarnov se tordit de rage.

– Les conséquences! Bien sûr. Quelqu'un va enfin tenir la dragée haute à ce salaud de Mikhaïl Sergueïevitch! Je le connais mieux que personne, j'étais avec lui en Crimée. Il est aussi pourri que tous ceux qu'il accuse, il a été élevé dans le Système. Il savait très bien que ce qu'on a appelé le putsch allait avoir lieu. Il a laissé faire, il a suivi. Et quand cet autre salaud de Boris Nicolaeïvitch a envoûté Bush, Mikhaïl Sergueïevitch a pris le parti du plus fort et il s'est acharné sur tous ceux qui servaient l'Union soviétique.

– Vous voulez dire les membres de la Junte?

– Il n'y a jamais eu de Junte! cracha son interlocuteur. Gorbatchev était tenu au courant heure par heure. Si cet autre salaud de colonel Nikolov n'avait pas été un dégonflé, tout rentrait dans l'ordre.

– Qui est le colonel Nikolov?

– Le commandant de la soixante-dixième brigade du KGB. Il était chargé de neutraliser Eltsine et ses copains. Au dernier moment, il a exigé un ordre écrit de Gorbatchev. Et tout s'est cassé la gueule.

– Cela ne me dit pas pourquoi vous trahissez maintenant.

Vladimir Bazarnov le fusilla du regard derrière ses verres fumés.

– Je ne trahis pas, j'essaie de nous sauver, moi et mes amis. Si nous ne disposons pas de beaucoup d'argent, les hommes du Président vont nous traquer et nous liquider un par un. Vous avez vu ce qui est arrivé à Igor Trifanov, à Boris Glaser, à sa femme et même au jeune lieutenant que je vous avais envoyé? Tous liquidés sauvagement. Comme des animaux.

Quand on sort du système...

Malko se rappela à temps qu'il avait en face de lui un des hommes qui avait activement contribué à l'abominable système communiste. Pas un délégué des Droits de l'Homme. Mais il n'était pas là pour faire de la morale. Il fallait obtenir le plus d'informations circonstancielles possibles, afin de juger du degré de sérieux de l'ex-numéro 2 du KGB. Les Soviétiques étaient passés maîtres dans l'art de la « Maskaradskaia » (1).

– Si je ne me trompe, ajouta-t-il, Anatoly Beda était de votre côté. Où se trouve-t-il? On dit à Moscou qu'il est en fuite.

– En fuite! ricana Vladimir Bazarnov. Ils étaient après lui. Il se cachait à Kiev sous un faux nom. Les salauds du Centre l'ont coincé. Comme il savait ce qui l'attendait, il s'est jeté par la fenêtre du treizième étage. Quand on s'est aperçu, à Moscou, que nous possédions ces documents, le Centre, avec son nouveau patron, a créé un commando, le groupe « alpha », sous les ordres du général Anatoly Gregorovitch Kaminski. C'est lui qui dirigeait le Département V, chargé des *Osobskie papki* (2). Et ils se sont lancés à nos trousses. Ils ont tous les moyens qu'ils demandent, la coopération des KGB locaux et de l'Armée. C'est un miracle si je suis encore en vie.

(1) La désinformation.
(2) Dossiers spéciaux.

Le communisme ignorant la superstition, il y avait un treizième étage dans tous les immeubles soviétiques.

– Vous êtes donc tout seul? remarqua Malko.

Vladimir Bazarnov secoua la tête.

– Non, heureusement, j'ai encore des amis, mais ce n'est pas le problème : mon offre vous intéresse-t-elle?

– Vous possédez *tous* les enregistrements de Gorbatchev pendant ces trois jours?

– Tous. Et je vous livre avec, tous ses numéros de téléphone secrets, tous les relais, tous les noms des gens impliqués dans l'opération. Seulement à la seconde où elles sont en votre possession, vous courez un danger mortel. Les hommes du Président ne reculeront devant rien pour les récupérer. Même dans une ambassade.

– Et si vous les livrez hors d'Union soviétique?

– Impossible.

C'était net.

– Où comptez-vous les remettre?

– A Moscou.

– Vous êtes inconscient...

– J'y suis obligé.

– Vous désirez être payé où?

– A Moscou. En liquide.

Ça allait être facile de convoyer vingt millions de dollars en liquide clandestinement! Devant l'hésitation de Malko, Vladimir Bazarnov montra des signes d'énervement.

– Ecoutez, j'ai d'autres acheteurs potentiels, alors décidez-vous vite.

– Très bien, dit Malko. Comment faisons-nous concrètement?

Le Soviétique examina l'autoroute, puis, rassuré, annonça :

– Je vous laisse quatre jours pour réunir l'argent. Retrouvons-nous ici à la même heure. Je vous fais confiance pour la rupture de filature. C'est dans votre intérêt, d'ailleurs.

Il remonta dans sa voiture et démarra aussitôt. La Volga disparut dans le bois au milieu d'un nuage de poussière. Malko voulut relever son numéro. Impossible : il n'y avait pas de plaque à l'arrière. Vladimir Bazarnov était certainement l'homme le plus vulnérable d'Union soviétique. Entraînant Malko dans le club des condamnés à mort en sursis.

CHAPITRE IX

Sacha patientait dans la Lada en écoutant du rock soviétique, le siège incliné en arrière. Ils reprirent la route et pas une parole ne fut échangée jusqu'à Vilnius.

Malko se fit déposer devant l'hôtel après avoir donné ses cinq mille roubles. Comment Bazarnov avait-il trouvé ce jeune voyou et pourquoi lui faisait-il confiance?

Il ne restait plus qu'à affronter la pulpeuse Katia pour un dîner-menteur. Pour gagner du temps.

*
**

La petite salle à manger du *Stiklai* était toujours aussi romantique, avec ses boiseries, son fond de musique classique et ses garçons en smoking. Et Katia tout simplement splendide. Lorsqu'elle arriva quelques minutes après lui et ôta son imperméable, Malko eut le souffle coupé. Un robe noire très longue, un fourreau montant jusqu'au cou, collant comme une seconde peau, qui moulait les seins pointus comme des obus. Le maquillage rehaussait le vert des yeux et la jeune femme s'était dessiné la bouche, l'agrandissant encore. La lueur des bougies adoucissait son expression, et la rajeunissait.

– Que fêtez-vous? demanda Malko.

– Notre association, répondit Katia le plus naturellement du monde. Parce que je sais déjà que vous allez accepter.

Malko se dit que son astuce d'envoyer un fax à Langley en « ouvert » avait payé. Pour la première fois, il avait une longueur d'avance. Il s'agissait de la garder. Il leva son verre de vodka et dit :

– A notre avenir radieux. Ce soir, nous nous contenterons de caviar.

A peu près tout ce qu'il y avait de mangeable dans la cuisine lituanienne.

– Bonne idée! approuva Katia.

Le garçon attendait debout. Malko lui expliqua ce qu'il désirait. Katia l'observait, énamourée.

– Je vois que vous n'êtes pas un ennemi de l'Union soviétique, dit-elle. Pourtant lors de votre précédente intervention (1), vous n'avez pas toujours été bien traité. Il y avait encore certaines raideurs dans notre appareil.

Plaisant euphémisme...

Bercés par Chopin, ils commencèrent à dîner. Le caviar était délicieux. Bientôt les yeux de Katia se mirent à briller comme des étoiles.

Pour achever son bonheur Malko commanda une bouteille de Cointreau que le garçon leur servit à la russe, sans glace, dans de petits verres à vodka.

– Ici, il ont de tout, remarqua Katia. C'est ravitaillé par les gens de chez nous...

Elle et Malko choquèrent leurs verres avant de les vider d'un trait. Fêtant une nouvelle trêve aussi fragile que celles de Yougoslavie. Malko était sans illusion. Tandis que Katia le caressait dans le sens du poil, le reste du groupe Alpha continuait à traquer Vladimir Bazarnov sans pitié.

Après la vodka, c'était comme du miel.

Ils étaient les derniers clients du restaurant. Après

(1) Voir *Mission à Moscou*, SAS n° 99.

avoir abandonné un énorme tas de roubles, Malko précéda Katia dans la rue sombre. La tête lui tournait un peu. Elle s'appuya à lui et l'embrassa comme elle savait le faire.

Puis, elle lui prit la main, l'entraînant.

– Où allez-vous? demanda Malko.

– Venez, je vous fais la surprise!

Il la suivit. A côté de sa Mercedes, il y avait une Volga blanche avec le même chauffeur, l'assassin probable du colonel Igor Trifanov. Katia glissa à l'oreille de Malko :

– Nous allons chez moi. Il y a encore de la vodka, des piroschki, un feu de bois. Et de la très bonne musique...

Elle se dirigea vers la Volga, balançant sa croupe incendiaire de la façon la plus provocante possible. Tous les voyants rouges se mirent instantanément à clignoter dans la tête de Malko. Si Katia était au courant de sa balade de l'après-midi, il aurait sa tombe en la suivant.

Elle se retourna.

– Alors?

Horrible dilemme. S'il hésitait trop, cela risquait de lui mettre la puce à l'oreille. C'était aussi de cette façon qu'on se faisait attirer dans un piège.

Le fantôme d'Igor Trifanov passa devant ses yeux.

Katia revint sur ses pas. S'arrêtant à quelques centimètres de Malko. Son parfum envahit ses narines et il eut l'impression de recevoir une décharge électrique lorsqu'elle demanda :

– Je ne vous plais pas ce soir, *Barin*?

Seul un ayatollah castré, avec les deux pieds dans du ciment, aurait pu résister.

– Ne craignez rien, dit-elle lorsqu'il fut monté. Ce soir, je ne vous veux que du bien.

Ils s'éloignaient du centre suivant Antakalnio gatve. Peu après la Volga s'engagea au milieu d'une véritable forêt. Les phares éclairaient des troncs rectilignes à perte de vue. On se serait cru au fond de la Sibérie... Enfin, une barrière de bois apparut. Le chauffeur donna un coup de phare et un policier en uniforme sortit de sa guérite pour ouvrir.

Ils roulèrent encore cinq minutes, puis la Volga s'arrêta devant une grosse datcha à peine éclairée.

– Nous sommes arrivés, annonça Katia Boudarenko.

Ses hauts talons faisaient crisser le gravier. Malko la suivit, pénétrant dans un petit hall aux murs couverts de boiseries puis dans un living-room au plafond bas, avec des sièges de cuir et des trophées de chasse. Dans un coin, il y avait une grande télé Akaï couplée à un magnétoscope Samsung. Un grand feu brûlait dans la cheminée, et, sur une table basse, il y avait une vasque pleine de caviar, une bouteille de champagne de Crimée, une de vodka et des zakouskis. Juste devant le feu, une grande couverture en guanaco.

– Où sommes-nous? demanda Malko.

– C'était la résidence réservée aux envoyés du Centre, expliqua Katia. Je m'y suis installée et maintenant ils vont à l'hôtel.

Il fallait qu'elle soit fichtrement puissante... Elle vint vers Malko et commença à se frotter langoureusement contre lui.

– Vodka ou champagne?

Habitué au Moët millésimé et au Dom Pérignon, Malko n'était pas tenté par le champagne de Crimée. Leur toast ne dura guère. Les seins de Katia pointaient vers lui, en un appel muet.

Il les attrapa à travers le tissu et elle gémit. Il descendit jusqu'au pubis et elle se cabra sous ses doigts. Ils oscillaient devant le feu, jusqu'à ce qu'elle l'attire sur la couverture de guanaco. A genoux, elle plongea sur lui, entamant une fellation divine. Il la contempla : les cheveux blonds défaits lui donnaient l'air très jeune, ses yeux brillaient d'un éclat fou, et tout son corps épanoui respirait la sensualité. Le robot s'humanisait.

Soudain, elle se renversa dans une pose totalement impudique, sur le dos, remonta sa longue robe, découvrant ses jambes jusqu'à l'aine, et demanda d'une voix rauque :

– Viens me la mettre.

Sa voix avait pris une intonation volontairement vulgaire, ce qui semblait l'exciter encore plus. Malko plongea en elle comme un fou. Il la pilonnait lentement, chaque coup portant loin, les reins de Katia étant appuyés sur le sol. Au bout d'un moment, il se retira et commença à lui ôter sa robe.

Ses seins tenaient comme ceux d'une fille de vingt ans. Le feu les chauffait délicieusement. Il agenouilla Katia contre un des canapés noirs, vint derrière elle et l'embrocha d'un coup, jusqu'à la garde. Elle se cabra violemment comme si elle avait reçu un coup de poignard.

– Oh, j'aime comme ça ! gronda-t-elle. Continue.

Il continua. La croupe dressée, elle se faisait saillir, ponctuant les élans de Malko de soupirs comme la première fois à l'hôtel. Alors, il se retira, tâtonna et la sodomisa d'une seule poussée.

Katia émit un long râle de parturiente. Elle trembla, violée à fond, puis commença lentement à venir audevant de lui. Il sentit sa croupe se détendre et elle se mit alors à vraiment participer. Son sexe dur comme de l'acier lui semblait un manche de pioche enfoncé dans du miel. L'alcool retardait son plaisir. Il viola longuement les reins de Katia. Finalement, il l'allongea sur le guanaco et se mit à la pilonner, se laissant tomber sur elle, lui déchirant la croupe de tout son poids. La jeune femme hurlait sans discontinuer.

Lorsqu'il lâcha sa semence, enfoncé autant qu'il le pouvait, il lui mordit la nuque et elle râla comme un fauve.

Le sang battait aux tempes de Malko, il avait tout oublié et mit un long moment à émerger. Katia semblait comme morte, les jambes ouvertes, la poitrine écrasée contre la fourrure. Elle se retourna, le regard brouillé.

– Tu n'as plus peur maintenant?

C'est à ce moment-là qu'il réalisa qu'il était *toujours* en danger de mort. Depuis l'instant où il s'était enfoncé dans les reins de Katia, le danger était devenu une chose abstraite. Il se sentait comme lorsqu'on se réveille après une opération, en sachant qu'on aurait pu rester sur le billard.

***

Distraitement, Katia suivait les contours de la cicatrice que Malko portait à la poitrine, lointain souvenir de l'Extrême-Orient. Le feu ronflait dans la cheminée, ils piochaient dans le caviar et la bouteille de vodka était quasiment vide.

– Tu bois comme un Russe, remarqua Katia.

Ses yeux verts étaient brouillés, comme l'océan après une tempête. Malko chercha son regard, intrigué. Il aimait assez les femmes pour tracer la limite entre le vrai et le faux plaisir.

– Que faisais-tu, avant de travailler pour le Centre? demanda-t-il.

– J'ai *toujours* travaillé pour le Centre, dit-elle doucement.

Elle ferma les yeux et posa sa tête près de son sexe, comme prête à le happer.

– Parle-moi encore, dit-elle; j'adore ton accent. C'est ma langue et ce n'est pas ma langue à la fois... Je suis bien. J'adore le feu. J'ai passé toute mon enfance à Vorkuta, sur le cercle polaire. Il faisait tellement froid.

– Tu étais une « zek »(1)? demanda Malko, sans pouvoir éviter une pointe d'ironie.

Katia sourit.

(1) Déportée.

– Non, bien sûr.

– Tu n'as jamais eu envie de faire autre chose?

Il y eut quelques instants de silence, puis elle dit d'une voix moins alanguie :

– Ne pose pas ce genre de question. Toi, as-tu toujours fait ce que tu souhaitais dans la vie? Non, n'est-ce pas? Chez nous, c'était encore plus dur.

Comme pour couper court à une autre question, elle prit doucement son sexe dans sa bouche et entreprit de lui donner à nouveau envie d'elle.

En prenant sa douche, Malko éprouvait cette sensation de fatigue délicieuse qu'on éprouve après le plaisir physique. Avec Katia, ils avaient fait l'amour jusqu'à l'épuisement de leurs forces. A l'aube, le chauffeur letton l'avait ramené à son hôtel.

James Pricewater arriva et s'assit en face de lui pour le petit déjeuner après avoir payé ses dix roubles.

– J'ai du nouveau, annonça-t-il.

– De Washington?

– Non, de Moscou. Sur Vladimir Bazarnov. Il a un frère, capitaine de vaisseau.

– Si nous le savons, remarqua Malko, les gens du KGB doivent le savoir aussi.

– Bien sûr, reconnut l'Américain, mais les marins n'aiment pas beaucoup le KGB. Si Vladimir Bazarnov bénéficie de la protection de la Marine soviétique, il est hors de portée de la belle Katia et de ses amis. Provisoirement.

Depuis toujours la Marine avait été conservatrice et anticommuniste. En dépit des allégations soviétiques sur son rôle durant la Révolution de 1917. Les officiers de marine étaient toujours formés à l'Ecole Navale de Frunzé, comme leurs prédécesseurs tsaristes. Les traditions navales étaient restées plus fortes que l'endoctrinement marxiste. Même après des décennies de communisme, les officiers de la marine soviétique détestaient cordialement les « politrouks », officiers du KGB chargés de les maintenir dans la ligne du Parti. Tout comme les officiers de la Wehrmacht haïssaient les SS.

– Il faudrait activer une source pour en savoir plus sur ce marin, demanda Malko. Ça peut servir.

Ils plongèrent ensuite dans les détails concrets du deal que Malko avait discuté. Apporter vingt millions de dollars à Moscou semblait pratiquement impossible, même par la valise diplomatique. James Pricewater conclut :

– On peut lui en donner une partie, 20 % environ, et le reste en chèques bancaires, à sa convenance.

Il n'y avait plus qu'à convaincre Bazarnov... Malko se sentait sur le fil du rasoir. Ignorant ce qui se passait en coulisse.

En attendant, il fallait s'armer de patience...

*
**

Malko sortit à pied du *Lietuva* et se dirigea vers la galerie marchande. La veille au soir, il avait dîné avec Vitas Kudaba pour lui demander son aide. Il lui restait moins d'une heure avant le rendez-vous avec Vladimir Bazarnov. Tout le système CIA de transfert de fonds était calé dans le plus grand secret. Il n'y avait plus qu'à appuyer sur le bouton. Et à convaincre le Soviétique d'accepter des chèques.

La foule devant l'agence de voyage était toujours aussi compacte. Malko descendit l'escalier de la rotonde, s'y mêla quelques instants, puis partit sans se presser vers le parc où Kudaba avait garé sa Lada pendant la nuit, laissant un double des clefs à Malko. Celui-ci se retourna. Personne ne le suivait. Il arriva à la voiture, vérifia qu'aucune autre ne se trouvait dans le coin et monta. C'était quand même moins voyant que la Mercedes blindée... Il crut qu'il n'arriverait jamais à démarrer. Le moteur toussait, hoquetait, tournait quelques secondes et s'arrêtait... En sueur, il commença à jurer, voyant l'heure tourner. Il ne pouvait quand même pas y aller en taxi!

Enfin, avec d'infinies précautions, il parvint à emballer le moteur et put décoller du trottoir. Direction l'autoroute. Dans la côte montant vers l'hôtel *Draugyste*, le moteur se mit de nouveau à hoqueter et la Lada à avancer par secousses. Secoué comme un prunier, Malko appréciait l'ironie de la situation. Il allait discuter un deal de vingt millions de dollars pour un sujet d'importance mondiale dans une voiture qui n'aurait pas valu cent francs à la foire à la ferraille...

Avec le plat, la sérénité revint à la Lada. Comme deux voitures sur trois étaient de ce type, il passait vraiment inaperçu... Il était en retard, mais n'osa pas accélérer. Trente-cinq minutes plus tard, il arrivait à la hauteur de la station-service. Il prit la précaution supplémentaire de parcourir cinq cents mètres de plus et revint à pied après avoir laissé la Lada sur le bas-côté, capot soulevé.

Il n'y avait personne derrière le bâtiment désaffecté de la station-service. Ni voiture ni aucune trace. Il se mit à l'abri du vent et attendit, guettant le sentier qui s'enfonçait dans la forêt. Il n'avait que dix minutes de retard et ne pouvait imaginer que Bazarnov ne l'ait pas attendu.

Quatre-vingt-dix minutes s'étaient écoulées et le vent glacial commençait à s'infiltrer sous les vêtements de Malko qui se sentait en proie à des pensées contradictoires.

Vladimir Bazarnov avait-il été dans l'impossibilité de le prévenir d'un changement de programme ou bien quelque chose lui était-il arrivé? Il décida d'attendre encore un quart d'heure, sans y croire. Le Soviétique n'était pas homme à arriver en retard... Le délai écoulé, il repartit vers la Lada.

Il traversait le terre-plein herbeux pour reprendre l'autre voie quand il eut une idée. S'arrêtant à la station-service, il écrivit un mot sur un bout de papier qu'il coinça entre deux planches.

Demain même heure.

Le retour vers Vilnius fut morose, rythmé par les hoquets de la pauvre Lada. Malko se sentait découragé à l'idée d'attendre de nouveau un contact hypothétique. Il allait connaître les premières neiges si ça continuait. Et pourtant, le jeu en valait la chandelle. Faire chanter le Président de l'Union soviétique, c'était le rêve fou de n'importe quelle agence de renseignements du monde.

Il laissa la voiture là où il l'avait prise et remonta à pied vers le *Lietuva*. Il n'y avait pas de message avec sa clef. Il appela James Pricewater qui lui annonça :

– Chris et Milton arrivent tout à l'heure sur le vol de Varsovie. Vous voulez aller les chercher?

– Bien sûr, dit Malko. Mon ami n'est pas venu au rendez-vous.

– *Shit!*

– Comme vous dites. Il faut attendre.

L'arrivée des deux « gorilles » le réconfortait. Il s'ennuierait moins. Une demi-heure plus tard, il ressortit, écartant les quémandeurs habituels. L'un d'eux s'accrocha, proposant une boîte en papier mâché représentant une troïka dans la neige. Un petit brun aux cheveux frisés.

Le cœur de Malko battit plus vite. Son premier message était arrivé sous cette forme.

– Combien? demanda-t-il.

– Vingt dollars.

Un prix ridiculement bas... Il sortit les billets de sa poche et le tendit à son vendeur qui s'éloigna aussitôt vers la galerie marchande.

Malko remonta dans sa chambre, le cœur battant. A peine entré, il sortit la boîte de sa poche et défit l'élastique qui retenait le couvercle. Elle contenait un papier plié.

Au moment où il le saisissait entre le pouce et l'index, un petit reptile noir, qui était lové sous le papier, se dressa avec une rapidité fulgurante. En une fraction de seconde, Malko eut le temps de reconnaître la tête triangulaire d'une vipère noire, un reptile au poison mortel. Déjà, la gueule ouverte, la tête de la vipère plongeait sur son index.

CHAPITRE X

La gueule du serpent heurta l'index de Malko à la hauteur de la première phalange et rebondit en arrière.

Sans avoir pu cracher son venin. En effet, ses mâchoires ne se distendaient pas assez et ce genre de serpent ne pouvait planter ses crocs à venin qu'entre les doigts, là où la peau est très mince.

Le pouls à 150, Malko fit un bond en arrière, lâchant la boîte et le papier. Le petit serpent noirâtre tomba sur le sol et disparut aussitôt sous le lit.

Il fallut plusieurs minutes à Malko pour que son cœur retrouve un rythme normal... Ramassant le papier, il le déplia : il était vierge de toute inscription.

Evidemment.

Peu désireux de partager sa chambre avec un tel hôte, il sortit rapidement et appela la *dejournaia*, lui annonçant la présence du reptile dans sa chambre.

– *Boje moi!* (1) s'exclama la grosse femme, se ruant sur son téléphone.

Deux Lituaniens de la Sécurité arrivèrent et, après avoir déplacé le lit, finirent par coincer le serpent, lui écrasant la tête. On le sortit par la queue pour l'exami-

(1) Mon Dieu!

ner. Un des deux se tourna vers Malko et dit en mauvais russe :

– Je connais. C'est un serpent très dangereux. Mortel venin. Vipère. Beaucoup dans les champs. Il cherche chaleur, peut-être...

Une vipère extrêmement répandue, vivant sous toutes les latitudes et dont la morsure était mortelle. On emporta sa dépouille et Malko descendit au bar s'offrir une vodka. La vipère était plus discrète que les Omons, mais tout aussi efficace.

Réchauffé par l'alcool, il se mit à réfléchir. Première hypothèse : Katia et ses amis avaient découvert ses contacts et cherchaient à l'éliminer plus en douceur.

Deuxième hypothèse, la plus pessimiste : Vladimir Bazarnov était tombé entre les mains de Katia et de ses amis qui faisaient le ménage.

*
**

Chris Jones regarda d'un air effaré les passagers agglutinés dans la salle d'attente de l'aérogare de Vilnius, au milieu des colis et ballots invraisemblables. Cela évoquait plus le triage d'une population déplacée qu'un aéroport du XXe siècle. A part une créature blonde, à l'air hautain, les jambes gainées de noir croisées très haut qui lisait *Ogonyok*, les autres passagers semblaient sortis d'une essoreuse. Un employé d'Aéroflot en uniforme bleu, sans cravate, pas rasé, engueulait des retardataires. Une valise tomba d'un chariot, explosa, et le bagagiste la remit dessus tranquillement, en laissant la moitié sur le sol...

– *Holy shit!* soupira le gorille, on a fait Washington-Paris-Varsovie sur Air France, c'était le pied. J'ai jamais bouffé comme ça. Mais ici c'est Air Goulag!

– Mais non, dit Malko en lui serrant la main, vous êtes seulement dans un pays socialiste...

Milton Brabeck apparut, traînant deux énormes sacs.

– Qu'est-ce que c'est? interrogea Malko.

– De la bouffe, fit sobrement Chris Jones, on ne veut pas mourir empoisonné.

– Il paraît qu'il y a un MacDo... dit Milton.

– Erreur, corrigea Malko, c'est à Moscou, 1200 kilomètres à l'est. Mais si vous aimez le porc de mauvaise qualité avec des pommes de terre râpées, vous en trouverez partout. Demandez un *capelinai*, c'est le plat national.

Milton Brabeck regardait autour de lui, atterré par la façon dont les gens étaient habillés.

– C'est des communistes tout ça? demanda-t-il, éberlué.

C'était la première fois qu'il franchissait le rideau de fer. Cette foule triste, mal fagotée, atone, le frappait. Il s'était attendu à trouver des kagébistes partout, mais pas cette déprime.

– Ce sont des victimes du communisme, corrigea Malko. Ils ont beaucoup de mal à survivre. Mais, rassurez-vous, ils ne sont pas méchants, ils ne mordent pas et, si vous avez des dollars, ils deviennent tout à fait gentils...

Ils sortirent de l'aéroport et Chris tomba en arrêt devant une superbe Tchaika.

– Tiens, ils ont des vieilles voitures, ici.

– Ce n'est pas une vieille voiture, fit Malko. C'est ce qui se fait de mieux en ce moment et ça vaut environ trois siècles de salaire d'un ouvrier soviétique.

– Et les trucs, là? demanda Milton désignant des Jigouli, des Lada et une vieille Volga haute comme un camion.

– C'est l'équivalent des Chevrolet, expliqua Malko.

Ils s'engouffrèrent dans la Mercedes blindée. Malko n'était pas mécontent de voir débarquer ses « babysitters ». L'épisode du serpent prouvait que pour le KGB il restait plus que jamais l'homme à abattre. Les deux Américains écarquillaient les yeux devant les queues innombrables. Chris Jones se tourna vers Malko.

– Il y a un problème, annonça-t-il. Nous sommes tout nus...

Evidemment, pas question de passer des armes en avion. Malko avait pensé au problème et convoqué Vitas Kudaba à l'hôtel où les deux gorilles entrèrent pratiquement à reculons. Les caractères cyrilliques surtout, les déphasaient. Malko les installa dans leur chambre et Chris Jones remarqua :

– On dirait les chambres qu'on voit dans les vieux films en noir et blanc. D'ailleurs, la vie a l'air d'être en noir et blanc ici. Comment marche le room-service?

– Il n'y a pas de room-service, précisa Malko.

– Et la bonne femme à l'étage, elle sert à quoi, alors? protesta Milton.

– C'est la *dejournaïa*, expliqua Malko. Avant elle travaillait pour le KGB, maintenant, elle veille à ce que vous n'ameniez dans votre chambre que des putes autorisées par les macs de l'hôtel.

– Vous êtes sûr qu'il n'y a pas un vrai hôtel dans cette putain de ville? demanda Chris d'une voix suppliante.

– Certain, trancha Malko. Maintenant, je vous abandonne, je vais m'occuper de votre équipement.

– Nous avons rendez-vous pour ce que vous m'avez demandé, annonça le stringer de la CIA qui attendait dans le hall du *Lietuva*.

– Avec qui?

Le Lituanien eut une petite moue à la fois dégoûtée et amusée.

– Oh, un type de la mafia, bien sûr. Darius, celui que vous avez vu l'autre soir au *Vilnius*.

– Où trouve-t-il les armes?

– Il les achète ou les échange à des soldats de

l'Armée rouge. Ils sont si mal payés qu'ils vendent tout.

Malko monta dans sa voiture et ils partirent d'abord vers l'ouest, redescendant ensuite vers le sud sur Laisves Prospektas et de nouveau vers l'ouest, à travers des bois, franchissant la Neris. Après le pont, se trouvaient des sortes de halles en plein air sur le bord de la route.

– C'est Gairvunai, expliqua Vitas Kudaba. Ici, on trouve de tout.

Effectivement, des gitans moldaves proposaient des chandails fabriqués à Istanbul pour 450 roubles sous l'œil vigilant de policiers en gilet pare-balles. Ici, il y avait de tout : des chaussures, des jouets, des vêtements, des tissus. Le Lituanien se gara à côté d'une vieille Lada rouillée avec un couple à bord : Darius et sa compagne qui se repassaient une bouteille de vodka. Evidemment, cela ne coûtait que 27 roubles. Quand il y en avait... Darius et Vitas échangèrent quelques mots, puis ce dernier rejoignit Malko.

– On les suit.

Ils prirent d'abord la route de Kaliningrad, tournant très vite dans un chemin boueux serpentant à travers bois. Arrivant à ce qui semblait un hangar abandonné, fermé d'un énorme cadenas. Darius l'ouvrit et ils pénétrèrent à l'intérieur. Des ampoules nues éclairaient des jeans empilés jusqu'au plafond, des cartons de magnétoscopes Samsung, des télés Akaï ultra-modernes, une longue table en bois avec des verres et quelques bouteilles de vodka.

Darius alla au fond du hangar et revint les bras chargés de paquets entourés d'une toile huilée jaunâtre qu'il déballa.

Des Kalachnikovs flambant neuves, trois pistolets Makarov, un Tokarev, des grenades incendiaires et anti-personnelles. Puis, il se mit à énumérer les prix en lituanien.

– Les Kalach, c'est 1 800 roubles, traduisit Vitas, les

pistolets, 500, et les grenades, 400. Pour les munitions, pour 2 000 roubles, vous prenez ce que vous voulez dans sa réserve.

– Je prends trois pistolets, dit Malko, deux Kalachs et une caisse de grenades. Plus les munitions.

Le Lituanien le guida dans l'appentis où il récupéra dix chargeurs de Kalach, une douzaine pour les pistolets et deux holsters. Ensuite, il n'y eut plus qu'à aligner les roubles... Ravi, Darius ouvrit une bouteille de vodka au citron, en versa dans des verres à dents et interpella Malko en lituanien.

– Il demande si vous ne voulez pas de jeans, traduisit Vitas Kudaba.

– D'où les sort-il?

– Je connais bien l'histoire, dit aussitôt Vitas Kudaba, j'avais fait l'enquête pour *Sovietskaïa Torgolia*. Grâce à ses amis en Ouzbékistan, Chourik Koutchoulory a pu détourner 190 tonnes de fibres de coton. Avec cela, il a fait fabriquer clandestinement par l'usine « Le Tisserand Rouge » qui se trouve à Serpoukhov, dans la banlieue de Moscou, des milliers de jeans. Et il a réussi à les vendre en dollars à la Finlande. Ils attendent d'être embarqués sur le port de Klaipeda.

– Et personne ne dit rien?

Vitas Kudaba eut un sourire amer.

– Si, le procureur de Klaipeda a voulu ouvrir une enquête. Chourik a payé 150 000 roubles un tueur pour l'abattre. Depuis, l'enquête est au point mort et il va finir par pouvoir embarquer ses jeans. J'ai calculé qu'il gagnait plus de trois millions de dollars dessus. Ils lui reviennent à 30 roubles chaque, il les vend 6 000...

Malko comprenait mieux pourquoi le mafioso ouzbek n'avait rien à refuser au KGB... Ils enveloppèrent les armes dans une vieille couverture et prirent congé de Darius.

– Il faudra donner deux cents roubles au portier du *Lietuva*, pour qu'il ne pose pas de questions, avertit Vitas Kudaba.

Chris Jones et Milton Brabeck regardaient les achats de Malko avec des yeux d'enfant. Milton arma le Tokarev et le glissa dans sa ceinture.

– C'est au 357 Magnum ce que la vodka est au Johnnie Walker, soupira-t-il, mais on fera avec. Quand commence-t-on?

– Pour le moment, on se calme, dit Malko.

Le portier avait pudiquement fermé les yeux en empochant ses deux cents roubles, son salaire officiel mensuel... Tout le système était pourri.

Maintenant que son dispositif était au complet, il pouvait reprendre l'offensive. C'était moins frustrant que d'attendre un hypothétique contact avec Vladimir Bazarnov. Il ne possédait qu'une seule piste possible. Son frère, Dimitri, en fonction sur un navire de guerre soviétique.

C'était plutôt vague. Peut-être était-il arrêté ou mort, à cause de son frère Vladimir.

La seule personne à pouvoir l'aider, c'était James Pricewater. Il appela l'Américain, et un de ses collaborateurs lui conseilla de se rendre au Parlement, où Pricewater tenait une réunion avec des Lituaniens, dans le bureau à côté de celui de Lambergis.

Il n'y avait plus qu'à y aller.

Malko, installé dans un des fauteuils de cuir marron de la salle des pas perdus jouxtant celle du Parlement, sentait le découragement l'envahir. Comment retrouver un officier du KGB en service sur un bateau de guerre dont on n'avait pas le nom? C'était comme s'il se trouvait sur une autre planète. Et ce n'était pas au KGB qu'on allait demander de le retrouver. Le regard absent, James Pricewater, assis en face de lui, semblait tout aussi désorienté.

– Si on demandait à la commission qui enquête sur le KGB? suggéra Malko. Ils auront peut-être une idée.

James Pricewater tapa du poing dans sa main.

– J'ai le type qu'il nous faut! Un Lituanien qui travaillait avec Boris Glaser. Il renseigne la Commission et veut absolument se racheter. Il est deux étages plus bas.

Ils y foncèrent. L'Américain arracha à une réunion un grand garçon blond et falot qu'il présenta à Malko comme le major Aurelius Gajauskas, ex-KGB. James Pricewater lui expliqua leur problème. D'abord, le Lituanien sembla tout aussi perdu qu'eux. Puis, son visage s'éclaira.

– Il y a peut-être une chance, dit-il. Le général Ergachev, patron du KGB de Vilnius, recevait tous les ans des centaines de cartes de vœux de ses collègues. Celui que vous cherchez en a peut-être envoyé une.

– Où sont ces cartes? demanda Malko.

– Dans le bureau d'Ergachev. Il les triait tous les ans. Seulement, cette année, à cause des événements, il n'a pas eu le temps. Mais le tout est peut-être sous scellés.

Malko ne tenait plus en place.

– Comment peut-on accéder à ce bureau?

– Comme membre associé de la Commission, je peux vous y conduire, dit le Lituanien, mais si c'est sous scellés, je ne pourrai pas les briser contre la loi.

Comment la panique transformait un Kagébiste en juriste pointilleux...

– Allons-y immédiatement, proposa Malko.

Dans la rue Vasario, deux soldats gardaient l'entrée latérale de l'immeuble massif et grisâtre qui avait successivement abrité la gestapo et les 700 employés du KGB. Trois étages de pierre écrasant la place Lénine, débarrassée de sa statue, en plein Vilnius. Le major Gajauskas montra son laissez-passer et ils gagnèrent le second étage, passant par le hall d'honneur où trônait toujours la statue de Dzerjinski, traversant des couloirs interminables au plafond d'un marron triste à mourir, le long desquels s'alignaient de hautes portes rembourrées de cuir avec des numéros. L'éclairage blafard ajoutait encore à la sinistrose des lieux. A travers les fenêtres donnant sur la cour intérieure, on pouvait apercevoir une espèce de grande cage grillagée où les prisonniers du KGB se promenaient jadis.

De quoi frissonner...

Ils arrivèrent au bureau 89. Un secrétariat coquet et, à gauche, un vaste bureau tout en longueur. Une immense carte d'Union soviétique dominait une table de conférence avec les zones rouges et les itinéraires interdits aux étrangers, avant la Perestroïka. La Lituanie en faisait partie. Retranchée du monde.

Dans un coin, une grosse broyeuse Intimus 007 qui avait dû beaucoup servir. Sur le bureau trônaient cinq téléphones, reliés aux Renseignements militaires, au Soviet suprême lituanien, au siège du parti communiste soviétique, à la région militaire et au Centre de Moscou...

Le major Gajauskas ouvrit un placard sur la gauche. Malko aperçut des piles de cartes de vœux.

– C'est ça! annonça le Lituanien. Il n'y a pas les scellés.

Discret, il s'éloigna, allant s'installer dans le bureau de la secrétaire. A peine avait-il tourné les talons que les deux hommes s'attaquèrent à la première étagère. Deux bonnes centaines de cartes de vœux... Certaines ne comportait qu'un nom et une signature, d'autres des noms et des grades imprimés, avec l'unité.

Malheureusement, toutes n'avaient pas d'adresse, les enveloppes ayant été jetées.

La première étagère vide, James Pricewater et Malko s'attaquèrent à sa voisine. Un travail fastidieux... Ils avaient les mains pleines de poussière, les noms dansaient devant leurs yeux. La troisième étagère n'apporta rien non plus, à part une carte du Président du KGB...

Il en restait environ la moitié. L'espoir de Malko diminuait car la plupart des cartes ne comportaient ni adresse ni téléphone ni aucune mention particulière.

Le major Gajauskas passa la tête par la porte.

– Il va falloir vous dépêcher, dit-il, les bureaux ferment à six heures.

Il était cinq heures et demie et ils en avaient encore un monceau à examiner.

*
**

C'est James Pricewater qui poussa soudain un cri de victoire. Il tendit à Malko une superbe carte de vœux en deux parties à la couverture bleue portant l'emblème du KGB, le glaive et le bouclier. A l'intérieur, il y avait en relief la silhouette d'un navire de guerre avec la légende : « Croiseur lance-missiles *Arkhangelsk* ». Dessous, trois noms. Le premier soigneusement calligraphié était Dimitri Bazarnov.

La légende : « Bonne et heureuse année 1991 ». Ça n'avait pas vraiment été le cas pour pas mal de Kagébistes... Malko releva la tête.

– Il faut savoir maintenant où se trouve l'*Arkhangelsk*.

– Ça, exulta l'Américain, c'est facile. L'US Navy Intelligence va nous le dire en cinq minutes. Il suffit que je me branche sur leur ordinateur. En les appelant en direct de la salle du bas, au Parlement.

Gardant la carte, ils remirent tout en place et rejoignirent leur ange gardien.

– On reviendra demain, annonça Malko. Quand il fera jour.

Ils reprirent la route du Parlement pour foncer vers la salle des télécommunications... Cinq minutes plus tard, James Pricewater avait Langley en ligne et donnait son code. Il attendit tandis que l'ordinateur cliquetait et finalement, la voix de son correspondant annonça, indifférente :

– L'*Arkhangelsk* vient de rentrer d'une mission de trois mois dans la Baltique et l'Atlantique nord, après une escale à Reykjavik. Il se trouve en carénage pour une durée indéterminée dans son port d'attache, Kaliningrad, en Russie.

Malko sentit une grande vague de bonheur l'envahir. Voilà pourquoi Vladimir Bazarnov se trouvait dans le coin. Il avait dû se mettre sous la protection de son frère.

Il n'y avait plus qu'à retrouver ce dernier.

Il n'y avait pas d'annuaire téléphonique de Kaliningrad et encore moins pour les militaires soviétiques. Soudain, James Pricewater eut une illumination.

– Je travaille avec un membre de la Commission de la Défense, Vytautas Boutkevicious. Il est en contact avec les troupes soviétiques et incollable sur leurs implantations. Venez!

Ils montèrent quatre étages jusqu'à un bureau minuscule où se trouvait un homme de petite taille avec une couronne de cheveux blancs... L'air vif et sympa, il serra chaleureusement la main de James Pricewater qui présenta Malko comme un de ses collègues.

– Nous avons besoin d'un renseignement, annonça-t-il, l'adresse personnelle d'un officier de la Marine soviétique à Kaliningrad...

Le Lituanien émit un sifflement amusé.

– Bigre, ce n'est pas évident! Le seul qui peut me renseigner, c'est le commandant de Klaipeda. Mais il est en permission. Il a quel grade?

Ils le lui dirent et il se plongea dans une profonde méditation.

– J'ai une idée, dit-il soudain. Je vais m'adresser à mon copain, le général Simonov, de la 3ème armée. Je vais lui dire que j'ai besoin de le joindre pour une question de travail. Revenez dans une heure.

*
**

– Vous me devez une boîte de caviar, annonça Vytautas Boutkevicious. Mon ami a été sympa. Il a même téléphoné à l'amirauté de Kaliningrad où il a des amis. Votre capitaine de vaisseau habite Ulitza Ratyzuvskova, numéro 27, appartement 18. Je ne connais pas son téléphone et je ne suis pas sûr qu'il l'ait. En ce moment, il est en permission jusqu'à la fin du mois.

– Merci, dit Malko. Ne parlez de cela à personne. C'est une question de vie ou de mort.

– On peut avoir confiance en Vytautas, affirma James Pricewater. Il déteste les Soviétiques.

– Cela fait quarante-cinq ans qu'ils nous pillent ! expliqua le vieil homme. Moi-même, j'ai passé onze ans dans les camps, quand j'étais jeune.

Pendant plus de cent cinquante kilomètres, la route Vilnius-Kaliningrad filait à travers les mornes étendues de l'ancienne Prusse orientale, devenue un morceau de Russie. Etroite, pleine de trous, encombrée d'énormes camions, elle traversait de rares villages aux isbas noirâtres qui semblaient dans le même état qu'en 1945. Depuis qu'ils avaient quitté la Lituanie, c'était l'horreur. Malko avait choisi de prendre la Mercedes à cause de ses plaques étrangères afin d'éviter les fouilles. Dans le coffre, il y avait les deux Kalachnikovs et des grenades. A tout hasard. Ils avaient franchi la « frontière » entre la Lituanie et la Russie sans aucun contrôle.

Un avion passa à basse altitude au-dessus de la route. Un Mig 29. Chris Jones écarquillait les yeux, ayant du mal à réaliser que, lui, agent de la CIA, se promenait librement en Russie, dans une des régions les plus militarisées. Milton Brabeck lui donna un coup de coude.

– Tu vois, avant la Perestroïka, si on t'avait piqué ici, tu passais le reste de ta vie à trier les boules de sel.

Même maintenant, ils n'étaient pas rassurés lorsque apparaissaient les casquettes plates à bordure rouge d'un officier soviétique. Or, ceux-ci pullulaient...

Enfin, une stèle de pierre surgit sur le côté droit de la route, portant en relief une inscription en caractères cyrilliques : KALININGRAD.

L'ancienne Kœnigsberg, capitale de la Prusse orientale en 1945. Là où se trouvait encore le tombeau de Kant. Jusqu'en janvier 1991, ville interdite aux étrangers.

Noyés au milieu des camions, ils suivirent Moskowskaia Prospekt, enfilade rectiligne de clapiers de béton grisâtres à faire pleurer un aveugle. Il y en avait comme ça des centaines, identiques, verrues staliniennes poussées après la guerre. Du linge aux fenêtres, des antennes télé, l'air uniformément décrépit. De temps à autre, on trouvait une vieille maison en brique rouge de l'époque allemande ou un immeuble baroque dont la façade comptait plus de lézardes que de peinture.

Les rues étaient encore plus défoncées que la route de Vilnius avec des voitures qui semblaient sortir d'une course de stock-cars et des vieux trams verts... Dire que Kœnigsberg avait été une cité pleine de charme et de beauté ! Quarante-cinq ans de communisme en avaient fait cette mégapole laide et sale. Moskowskaia Prospekt se terminait à un pont enjambant la Prezora, la rivière qui traversait la ville de part en part.

A droite, se dressait un hideux bâtiment noirâtre de sept étages : l'hôtel *Kaliningrad.* Malko continua vers le centre, trouvant enfin une place avec des arbres. Une énorme cathédrale en brique rouge faisait face à une gigantesque statue de Lénine continuant de son bras tendu à montrer l'avenir radieux du communisme.

– Vous vous y retrouvez? demanda avec inquiétude Chris.

– Tout à fait, affirma ce dernier.

Il avait acheté un plan à Vilnius et s'en servait. Dans le centre, il y avait encore quelques immeubles baroques de toutes les couleurs. Malgré leur peinture écaillée et affadie, ils avaient encore fière allure à côté des clapiers modernes.

Malko tâtonna un peu avant de découvrir enfin la rue Ratyzuvskova. Le numéro 27 était un immeuble baroque de 1900 qui avait dû être rose, rongé par la pollution. Malko déchiffra une plaque de cuivre à côté de l'entrée principale : « Résidence de la Marine soviétique ».

C'était un immeuble militaire. Donc, le tuyau du Lituanien était bon. Il était midi. Avec un peu de chance, le frère de Vladimir Bazarnov pouvait être là.

– Attendez-moi là, demanda-t-il aux gorilles.

– Et comment! s'exclama Chris, si on entre là-dedans, on va ressortir couverts de poux.

Malko s'éloigna sur le trottoir défoncé. Juste avant l'entrée, il tomba en arrêt. Une Volga était garée au bord du trottoir. Quelque chose accrocha son regard. Un petit ours en peluche pendu au rétroviseur. Il l'avait remarqué dans la voiture de Vladimir Bazarnov lors de leur première et unique rencontre...

CHAPITRE XI

Malko s'arrêta devant l'enfilade de boîtes aux lettres disjointes. Celle de l'appartement n° 18 était vide. Au hasard, il prit l'escalier de droite, crasseux et sombre. La minuterie ne marchait pas et l'odeur de chou aigre était telle qu'on aurait eu besoin de mettre un masque à gaz. La première porte à l'étage était celle du 12. Il passa devant une cuisine collective où plusieurs femmes s'affairaient en bavardant. L'appartement 18 se trouvait au fond du couloir.

Il sonna. Une fois, deux fois, trois fois. Puis se résolut à frapper le battant avec sa chevalière.

La porte s'ouvrit enfin sur un homme au visage buriné, avec des bajoues, peu de cheveux, et deux grandes rides verticales autour de la bouche. Son visage exprimait surtout une grande lassitude. Il leva son regard délavé sur Malko, avec une lueur surprise :

– Qui cherchez-vous?

– Vous êtes Dimitri Sergueievitch Bazarnov? demanda Malko avec un sourire engageant.

Son interlocuteur avait une vague ressemblance avec son frère, sans plus. L'officier du KGB eut l'air surpris.

– Oui. Pourquoi?

– Puis-je entrer?

– *Pojoloniska.*

Ils se retrouvèrent dans un petit appartement à la

soviétique avec quand même une télé japonaise Akaï, un magnétoscope Samsung et deux ou trois bricoles montrant que son propriétaire bénéficiait d'un régime particulier. Les meubles étaient de bonne qualité, contrairement à ceux des Soviétiques moyens qui vivaient dans des planches. Aux murs, des photos de navires de guerre.

– Je cherche votre frère, Vladimir, annonça Malko après s'être assis. J'avais rendez-vous avec lui hier, il n'est pas venu et je n'ai plus de nouvelles.

Le regard bleu demeura insondable. Le Russe alluma une cigarette et dit avec lenteur :

– Cela fait un bon moment que je n'ai pas vu Vladimir, je ne sais pas où il est.

Une seconde, la pensée effleura Malko qu'il était de mèche avec Katia et le groupe Alpha. Mais il avait seulement l'air sur ses gardes, comme n'importe qui dans la même situation. Malko le fixa longuement, et répliqua avec un sourire :

– Dimitri Sergueievitch, je suis un *ami* de votre frère. La voiture qu'il conduisait le jour où il m'a vu est garée en face de chez vous. Il faut m'aider. Il est en danger.

Dimitri Bazarnov se contenta de tirer sur sa cigarette, fixant le plancher. Malko se demanda soudain si Vladimir Bazarnov n'était pas caché dans l'appartement. Il fixa la porte fermée et l'officier du KGB intercepta son regard.

– Il n'est pas ici, dit-il après un long moment de silence.

Visiblement, il était en proie à un profond trouble intérieur... Se demandant qui était Malko. Il finit par dire :

– Mon frère est à Moscou. Vous vous trompez pour la voiture.

– Votre frère est en fuite, corrigea Malko. Il a participé au putsch. Je vous dis que je peux l'aider.

Vous voulez qu'on le retrouve « suicidé », comme Akromeiev ou Pougo?

L'argument sembla ébranler son interlocuteur. Seulement, c'était un homme du Renseignement, donc méfiant. Malko sentit qu'il devait dévoiler ses cartes. Dimitri Bazarnov se leva et passa dans l'autre pièce. Lorsqu'il revint, il avait un pistolet à la main. Un gros Makarov qu'il braquait sur Malko.

Un flot d'adrénaline envahit les artères de Malko. Les yeux de Dimitri Bazarnov s'étaient emplis de larmes. Son arme tremblait légèrement. Il lança à Malko :

– Je sais qui vous a envoyé! Et ce que vous voulez!

Il était visiblement ivre de rage. Malko se dit qu'il le prenait pour un allié du KGB « officiel ». C'était un comble.

– Vous vous méprenez, corrigea-t-il. J'appartiens à la CIA. Nous sommes en pourparlers avec votre frère pour acheter des documents. Les gens qui le traquent ont tenté de me tuer plusieurs fois.

Le regard de Dimitri Bazarnov vacilla, mais il ne baissa pas son pistolet.

– Vous mentez! lança-t-il. Je vous connais, vous les gens du Cinquième Directorate!

– Deux Américains m'accompagnent, dit Malko. Si je vous les montre, vous me croirez?

– Où sont-ils?

– En bas, dans ma voiture.

Il tourna le dos au Soviétique, ouvrant la porte donnant sur le couloir. Dimitri Bazarnov ne pouvait que lui tirer dans le dos ou le suivre.

Il choisit la seconde solution.

Chris Jones et Milton Brabeck sortirent comme un

seul homme de la Mercedes en voyant Malko accompagné du Soviétique.

– Qu'est-ce qui se passe? demanda Chris Jones.

– Montrez-donc vos cartes à ce monsieur, demanda Malko, il vous prend pour des agents du KGB...

Milton faillit s'étouffer... Poliment, ils sortirent leurs passeports et leurs accréditifs de la CIA. Le Soviétique retourna longuement dans ses doigts les documents plastifiés, les grattant même de l'ongle, regarda les deux gorilles sous toutes les coutures, puis rendit le tout à Malko.

– *Karacho*, fit-il, d'une voix lasse. Je veux bien vous croire. Remontez avec moi. Il vaut mieux qu'on ne vous voie pas dans le quartier.

– Où mes amis peuvent-ils m'attendre?

Vladimir Bazarnov réfléchit rapidement.

– Qu'ils aillent à l'hôtel *Kaliningrad*. Dans le hall, il y a beaucoup d'étrangers. Ils passeront inaperçus.

– Comment on va trouver? demanda Chris Jones, affolé. Je ne sais pas lire ce putain d'alphabet.

Malko lui expliqua patiemment. Heureusement qu'ils étaient passés devant.

– Si vous vous perdez, conseilla-t-il, vous demandez à un policier « Kaliningrad Hotel ».

Malko remonta avec Dimitri Bazarnov qui jeta son pistolet sur une table basse et alluma une cigarette.

– Mon frère a disparu, annonça-t-il. Depuis plus de vingt-quatre heures. Comme il ne me tenait pas au courant de toutes ses activités, je n'ai aucun moyen de le retrouver. Mais je suis presque certain qu'il a été enlevé par le groupe Alpha...

Malko était sur des charbons ardents.

– Reprenons par le début, suggéra-t-il. Que savez-vous de cette affaire?

– J'étais en mer sur l'*Arkhangelsk* quand il y a eu le putsch, expliqua l'officier du KGB. J'ai eu peu d'informations, mais je suis arrivé à Kaliningrad une semaine plus tard. J'ai trouvé Vladimir installé dans mon appartement. Il en avait une clef. Il m'a expliqué qu'il était en fuite, à cause du putsch. Que Gorbatchev les avait menés en bateau, s'était servi d'eux et, que, maintenant, il leur faisait porter le chapeau. Qu'il avait lancé à leurs trousses les gens du Cinquième Directorate qui lui obéissaient encore. Avec le patron du 9ème Departement, le général Marcinkus, assisté du général Kaminski du Département V.

– Vous saviez pour les documents?

– Non, il me l'a dit après. J'ai reçu un télex du Centre qui m'ordonnait de mettre mon frère en état d'arrestation si je le voyais. Sur ordre du nouveau directeur du KGB, Vadim Bakanine. Il était accusé de haute trahison. Le lendemain, j'ai reçu la visite de trois agents d'ici. Ils ont tout fouillé, mais j'avais déjà installé Vladimir ailleurs, là où personne ne pouvait venir le chercher. Sur l'*Arkhangelsk*. J'ai prétendu ne pas l'avoir vu et je crois qu'ils m'ont cru.

– Et ensuite?

– Vladimir m'a appris pour les écoutes de Gorbatchev. C'est son ami Beda qui les lui avait communiquées, outragé par l'attitude de Gorbatchev qui était parfaitement au courant du putsch. Maintenant, il a formé cette équipe – le groupe Alpha – qui doit faire disparaître toutes les traces de son implication. Trois des membres du putsch ont déjà été « suicidés ». Pour les faire taire et faire peur aux autres... Ils ont repris Beda. Il ne reste plus que mon frère...

« Je savais qu'il devait rencontrer quelqu'un en Lituanie, parce que c'est plus sûr et pas trop loin.

– Je pense qu'il est arrivé quelque chose, fit Malko, sinon il m'aurait recontacté. J'espère qu'il n'est pas mort.

– Moi, je suis sûr qu'il est vivant, trancha Dimitri Bazarnov.

– Pourquoi?

– A cause des documents. Il ne les avait pas avec lui. Je sais qu'ils sont cachés quelque part à Moscou. Il n'a pas voulu me dire où. Mais tant que ces bandes magnétiques seront dans la nature, ce sera un danger mortel pour Gorbatchev. Ils vont torturer mon frère jusqu'à ce qu'il leur dise où elles se trouvent. Mais c'est un homme solide. Et ils hésiteront à le tuer. Une fois mort, les documents sont perdus...

– Où peut-il être?

Dimitri Bazarnov eut un sourire triste.

– Dans un rayon de 300 kilomètres, je connais au moins une trentaine d'endroits possibles. Tous inaccessibles, même pour moi. J'ai bien essayé de savoir par des amis, mais en ce moment, tout le monde a peur de tout le monde... Je sais que les gens de Lituanie sont plutôt favorables à Moscou. Ceux de Minsk, au contraire, sont pour Boris Eltsine.

– Vous pensez qu'il est en Lituanie ou en Russie?

Dimitri Bazarnov réfléchit quelques secondes.

– Ce n'est qu'une hypothèse, mais je dirais en Lituanie où le Premier Directorate est mieux implanté.

– Vous saviez qu'une délégation de Moscou était arrivée à Vilnius?

– Vous avez leurs noms? demanda-t-il immédiatement.

– Non. Et vous, rien sur les circonstances de sa disparition?

– Il avait rendez-vous au *Kaliningrad*, dit-il. Avec un Allemand, je crois.

– Un Allemand? fit Malko surpris.

– Oui. Quelqu'un du BND.

Voilà qui étaient les autres acheteurs... Une nouvelle hypothèse surgissait. Et si Vladimir, « traité » par les Allemands, avait été exfiltré?

– Je vais essayer d'en apprendre plus, promit Malko. Et ensuite, je reviendrai vous voir.

Dimitri Bazarnov se leva, les épaules voûtées.

– Je ferai n'importe quoi pour retrouver mon frère, fit-il. Même si je dois perdre mes mille roubles par mois.

– A ce soir, fit Malko.

Il trouva un taxi en agitant un paquet de Marlboro et se fit conduire au *Kaliningrad.*

Un jeune ivrogne aux yeux chassieux, une bouteille de vodka vide à la main, déambulait devant l'hôtel, hagard. D'autres, assis sur les marches, se repassaient des bouteilles de bière, et buvaient au goulot. Le bruit de la circulation était assourdissant. Malko pénétra dans le hall par un petit sas sur le côté. Il y régnait la même pénombre que dans une église... Les murs verdâtres et les boiseries marron, ajoutés à l'éclairage déficient, donnaient à l'endroit une vague allure de crypte. Il aperçut immédiatement Chris Jones et Milton Brabeck affalés dans des fauteuils, en face d'un marchand de souvenirs. A droite, trois employées somnolaient à la réception derrière un panneau annonçant que l'hôtel était complet. Après avoir réconforté les deux gorilles, Malko gagna la réception.

– Je cherche un ami allemand qui se trouve à l'hôtel, mais je ne sais pas le numéro de sa chambre, annonça-t-il à une brunette.

– Alors, pas possible, fit-elle en se replongeant dans la lecture de *Troud.*

Malko fit glisser un billet de cinq dollars sur le comptoir. Elle leva les yeux, posa la main sur le billet – la moitié de son salaire mensuel –, prit derrière elle un gros registre, le posa devant Malko et reprit sa lecture.

– *Pojolinska*, dit-elle poliment.

Malko prit le registre et se mit à examiner tous les noms. Immédiatement, il tomba sur quatre patronymes allemands suivis de la mention « Hansa TV ». Une infrastructure du BND. Il nota alors les quatre noms avec les numéros de chambre et décida de commencer par un certain Gunther Kloten, chambre 224.

Il prit l'escalier où un vieux à brassard rouge faisait

barrage aux putes qui buvaient de la bière au goulot dans le petit jardin derrière l'hôtel. Les couloirs étaient encore plus sombres que le hall. Malko frappa à la porte du 224, entendit des pas lourds et se trouva en face d'un colosse d'un mètre quatre-vingt dix. De son vrai nom Hans Noten, chef de mission du BND...

– *Grüss Gott, Herr Noten*, fit-il. Je ne savais pas que vous étiez devenu cameraman.

L'Allemand ne le reconnut d'abord pas, puis la stupéfaction lui décrocha la mâchoire.

– *Himmel!* Malko! *Was machen sie hier?* (1)

– La même chose que vous, répondit Malko en entrant dans la chambre, où régnait un désordre sans nom.

L'Allemand du BND referma la porte et demanda prudemment :

– Qu'est-ce que vous voulez dire?

Malko le toisa, agacé.

– Hans! Nous sommes sur le même coup. Ne faites pas l'imbécile. Savez-vous où se trouve Vladimir Bazarnov?

L'Allemand avala sa salive. S'il avait osé jeter Malko par la fenêtre, il l'aurait bien fait. Furieux, il l'apostropha :

– Vous devriez avoir honte de travailler pour les Américains, vous, un germanique de pure souche!

– *Ruhe bitte* (2), répliqua sèchement Malko. On ne va pas refaire le monde. Où est Vladimir?

– Je ne sais pas, avoua l'homme du BND du bout des lèvres.

– Quand l'avez-vous vu pour la dernière fois?

– Avant-hier. Ici. Je devais le revoir le soir, mais il n'est pas venu...

– Il vous a dit où se trouvaient les documents?

– A Moscou.

(1) Qu'est-ce que vous faites ici?
(2) Taisez-vous, s'il vous plaît.

– Il a demandé combien?

– Je ne peux pas vous le dire.

Peu importait. L'Allemand secoua la tête.

– De toute façon, je repars pour Berlin demain, se hâta-t-il de dire. Je ne peux pas attendre indéfiniment.

A ce moment, on frappa à la porte. Hans Noten eut l'air embarrassé.

– J'attends une visite, je peux vous retrouver en bas dans un moment.

– Bien sûr, fit Malko.

– Venez.

Il le fit passer dans la pièce voisine, un salon encombré de matériel de prises de vue, et ouvrit la porte du couloir, retournant ouvrir celle de sa chambre. Quand Malko se retrouva dans le couloir, celui-ci était vide. Il redescendit dans le hall. C'était amusant de trouver Hans Noten sur son chemin. Evidemment, ici, les Allemands étaient un peu chez eux.

L'hôtel semblait vide, malgré le panneau « complet ». Il alla acheter la *Pravda* au stand près de l'entrée et s'installa face à l'escalier après avoir dit aux deux gorilles de ne pas bouger. Aussitôt assailli par les putes, comme des mouches tournant autour d'un verre de lait. Vingt minutes plus tard, une jeune femme descendit l'escalier. Malko se crut victime d'une hallucination. C'était Galina Vassiliev, la « victime » de Chourik Koutchoulory. Celle qui avait participé au meurtre d'Igor Trifanov.

Son visage d'ange, toujours aussi éblouissant de beauté. Les cheveux bruns tirés, retenus par un nœud noir, en une longue queue de cheval. Une robe et des chaussures rouges.

Elle s'éloigna vers le fond du hall, apparemment sans l'avoir vu, et, quelques instants plus tard, Hans Noten apparut à son tour.

CHAPITRE XII

– Cette ravissante brune n'était pas avec vous? lança Malko à Hans Noten.

L'agent du BND prit un air faussement dégagé :

– C'est la patronne du salon de coiffure au fond du hall. Elle parle très bien allemand. Nous avons sympathisé.

Malko commençait à comprendre.

– Juste une question. Vous a-t-elle vu avec Vladimir Bazarnov?

Le trouble de l'Allemand fut de courte durée.

– Je crois, oui, répondit-il. En fait, nous avons bu un verre ensemble. Pourquoi?

– Pour rien, dit Malko. Vous n'avez eu aucun contact avec les gens du Centre de Moscou?

Hans Noten lui jeta un regard intrigué.

– Non, bien sûr, mais ils ont pu nous repérer, soit lors des demandes de visa, soit au passage de la frontière. Mais, en ce moment...

Malko cherchait à comprendre ce qui avait pu se passer. Ceux qui étaient aux trousses de Vladimir Bazarnov connaissaient l'existence de son frère vivant à Kaliningrad. Comme ils semblaient disposer de nombreux appuis au sein des différents départements du KGB, ils avaient très bien pu apprendre la présence d'une équipe du BND à Kaliningrad. Et en tirer les conclusions qui s'imposaient. Hans Noten était connu pour avoir « traité » un certain nombre de défecteurs.

Katia Boudarenko et ses amis avaient alors, une fois de plus, fait appel à leur ami mafioso qui avait « activé » la somptueuse Galina.

Sans le savoir, Hans Noten et Vladimir Bazarnov étaient tombés dans la gueule du loup. Le reste était facile à imaginer : prévenu par Galina, le groupe Alpha avait monté un kidnapping.

Hans Noten contemplait Malko, sans comprendre. Il se crut obligé de dire, avec un sourire complice :

– Vous savez, cette fille, elle ne m'appartient pas. Si elle vous plaît...

Malko se dit que la seule personne qui pouvait maintenant l'aider à retrouver Vladimir était Galina Vassiliev. Hans Noten regarda sa montre et se leva.

– Je remonte, fit-il, j'attends un coup de téléphone. Tenez-moi au courant.

Malko ne le retint pas. Dès que l'Allemand eut disparu, il se dirigea vers le salon de coiffure.

*
**

Une douzaine de mémères en bigoudis attendaient qu'on s'occupe d'elles. Le salon était très hollywoodien, avec ses murs rose bonbon et ses photos d'acteurs américains. Malko repéra facilement Galina debout près d'une cliente, somptueuse dans sa simple robe rouge. Elle était aussi belle que dans son souvenir avec ces extraordinaires yeux gris-bleu en amande dans l'ovale de madone et cette grosse bouche rouge, comme rapportée en relief, dans laquelle on avait envie de mordre. Ses cheveux descendaient jusqu'à ses reins. Soudain, dans la glace, son regard rencontra celui de Malko, planté à l'entrée du salon.

D'abord, elle demeura figée, tétanisée, quelques secondes, puis un sourire se plaqua sur son visage. Elle se retourna et marcha sur Malko, radieuse.

– Comment m'avez-vous retrouvée?

Elle s'était arrosée d'un parfum dont chaque goutte coûtait un mois de salaire de ses employées. Elle avait parfaitement retrouvé son sang-froid.

– Le hasard, dit Malko. Quelle coïncidence!

Elle le prit par le bras, l'entraînant dans un coin du hall où elle se pressa aussitôt contre lui, le regard chaviré.

– Je t'ai cherché à Varsovie, dit-elle, à voix basse, mais ce salaud de Chourik m'a retrouvée et emmenée. Je ne pouvais pas te prévenir, je ne connaissais même pas ton nom. Comme je suis contente que tu sois à Kaliningrad!

Elle le touchait presque et ses yeux en disaient encore beaucoup plus que son ventre qui avait avancé imperceptiblement, venant se coller à Malko.

– Tu restes ce soir? Tu es à l'hôtel?

– Non.

Elle se mordit les lèvres, sembla réfléchir quelques instants, puis dit d'une voix rauque :

– Ça ne fait rien, on va s'arranger.

Il la regarda filer à la réception, et avoir un bref conciliabule avec l'employée à qui Malko avait donné cinq dollars. Elle revint aussitôt.

– Suis-moi.

Le cerbère à brassard rouge leur barra le chemin. Tranquillement, Galina souffla à Malko :

– Donne-lui deux cents roubles...

L'autre s'inclina presque jusqu'au sol... Ils grimpèrent au quatrième et pénétrèrent dans une chambre qui sentait le moisi.

A peine entrée, Galina se jeta sur Malko, l'embrassant avec violence, le palpant sur toutes les coutures. Elle le léchait, se frottait comme une chatte en chaleur. Acharnée à montrer à quel point elle était heureuse de le revoir.

– Tu n'as pas très envie de moi, remarqua-t-elle avec reproche.

S'agenouillant sur la moquette usée, elle entreprit de remédier à cet état de choses. Sa bouche étant aussi habile que ses mains, Malko réagit très vite. Il avait beau se dire que Galina jouait la comédie, c'était quand même une superbe femelle...

Elle se releva et, d'un geste vif, ôta sa culotte de dentelle noire, s'allongeant sur le lit. Malko s'enfonça en elle d'un seul coup. Elle était onctueuse et chaude, ondulant sous lui, et se remit à l'embrasser. Ses longues jambes nouées sur ses reins. Il explosa très vite et elle simula un orgasme aussitôt, criant, détendant ses jambes d'un coup et mordant Malko à la lèvre...

Quelques instants plus tard, elle regarda sa montre.

– Il faut que je redescende, dit-elle, plusieurs clientes m'attendent. Tu veux qu'on se retrouve ce soir?

– Bien sûr, dit Malko.

– *Karacho*. Au fond du hall, il y a un jardin. Tu m'attends là vers neuf heures. Je ne veux pas traîner dans le hall.

Elle remettait déjà sa culotte, et lissait sa robe. Avec toujours cet air de madone. Elle embrassa Malko.

– C'était très bon! assura-t-elle. Je connais un bon restaurant où il y a du caviar noir. Je suis si contente. Je pensais ne jamais te revoir.

Déjà, elle avait claqué la porte et disparu. Malko était pensif : Galina Vassiliev était un animal sauvage, dressé à la survie. Elle n'allait pas être facile à manipuler. Sa réaction pouvant être « lue » de deux façons. Ou bien elle était innocente et avait vraiment été ravie de retrouver Malko... Ou bien, en bonne professionnelle, elle avait fait ce qu'elle pouvait pour endormir sa méfiance en attendant de pouvoir réagir. Hélas, dans le métier de Malko, les coïncidences n'existaient pas... Vladimir Bazarnov avait disparu au *Kaliningrad*, là où elle travaillait. Et elle se trouvait aussi à Varsovie, au moment où Igor Trifanov avait été assassiné par le KGB. Il y avait neuf chances sur dix pour qu'elle lui pose un lapin. Ou alors, elle allait jouer l'innocence jusqu'au bout.

*
**

Depuis une heure, le marchand de souvenirs avait plié bagage et une meute de touristes teutons avait envahi le hall. Au fond, le restaurant commençait à servir. Malko franchit la porte du jardin vaguement aménagé avec quelques tables et des chaises. Deux couples flirtaient dans un coin.

Il s'assit sur une chaise de fer, surveillant la porte.

Galina Vassiliev s'y encadra dix minutes plus tard. Portant un imperméable marron d'où dépassait la robe rouge. Elle rejoignit Malko et l'embrassa légèrement avant de l'entraîner vers le fond du jardin.

– Viens, nous allons sortir par là. C'est plus discret.

Elle le précéda sur un sentier de gravier menant à une petite grille qui donnait sur une rue déserte. Plus qu'un léger bruit de gravier écrasé, c'est son sixième sens qui poussa Malko à se retourner.

Deux silhouettes avaient jailli de l'ombre et avançaient sur lui. Deux garçons jeunes, avec des têtes de voyou, des polos et des jeans. Malko crut reconnaître en l'un d'eux, celui qui traînait devant l'hôtel, une bouteille vide à la main.

Maintenant, c'est un long couteau qu'il tenait à l'horizontale, comme son complice. Ils avaient la même expression, vide et féroce à la fois. Malko s'étant retourné, ils marquèrent une imperceptible hésitation. Aussitôt, la voix de Galina Vassiliev lança dans son dos d'un ton impérieux :

– *Davai! Davai!*

Ils foncèrent. Malko n'eut même pas le temps de tirer son revolver de sa ceinture.

Une silhouette énorme jaillit derrière celui qui se préparait à éventrer Malko. Le poing de Chris Jones alourdi par le Tokarev s'abattit avec une force impressionnante sur la nuque. Malko entendit le craquement écœurant des vertèbres écrasées et le jeune inconnu s'effondra d'un bloc, sans un mot. Le second, affolé, voulut s'enfuir. Il se heurta à la montagne de chair de Milton Brabeck, qui, d'un seul coup dans l'estomac, le plia en deux. Achevé d'une manchette dans la nuque, il rejoignit son camarade sur le gravier. Malko rattrapa de justesse Galina qui tentait de s'enfuir. Son imperméable craqua et il dut la saisir à bras le corps, alors qu'elle se débattait furieusement.

– Salaud, cria-t-elle. Au secours!

– Qu'est-ce qu'on en fait? demanda Milton.

– Emmenez-la à la voiture, dit Malko, jetant littéralement la jeune femme dans les bras du gorille.

Il avait prévu quelque chose de semblable et pris ses précautions. Ce qui venait de se passer épargnerait beaucoup de salive... Le petit groupe franchit la grille et gagna la Mercedes, garée juste en face. Milton Brabeck poussa Galina à l'arrière et s'installa pratiquement sur elle.

Malko prit le volant, Chris à côté de lui. Un cri jaillit de l'arrière.

– Elle m'a mordu, cette salope, gronda Milton Brabeck.

Galina se débattait comme une furie, dans un grand envol de bas noirs. En quelques minutes, sa robe rouge fut en lambeaux, ses bas arrachés et Milton ne comptait plus les coups de griffe. Il poussa un hurlement lorsqu'elle s'attaqua à ses parties vitales et d'une manchette réussit à la calmer.

Malko, après avoir traversé le pont, retrouva la rivière, vit un écriteau indiquant le port, suivit un boulevard mal pavé et finalement franchit un pont métallique qui enjambait un bras de mer où pourrissaient des dizaines de bâtiments commerciaux. Il continua sur une route déserte dans la zone portuaire, longeant une gare de triage, et trouva enfin ce qu'il cherchait. Un endroit sinistre à souhait. A gauche, un canal et à droite un train chargé de camions militaires. Il se gara dans un parking hors de vue de la route. L'air sentait le kérosène, le goudron et l'eau croupie.

Il se retourna, Galina, maintenue par Milton, fixait sur lui un regard absent.

Malgré son visage de madone, elle était aussi dangereuse que Katia. Et aussi dure. La seule façon de la prendre, c'était avec ses propres méthodes : la violence et l'intox. Il tira de sa ceinture son pistolet extra-plat, allongea le bras et posa l'extrémité du canon contre la joue de la jeune femme. Il vit ses pupilles rétrécir, elle avalait nerveusement sa salive, mais elle ne prononça pas un mot. Un animal traqué.

– Galina, c'est la fin du voyage. Ou tu collabores avec moi, ou je te tire une balle dans la tête. Tu as compris?

– *Da*, lâcha-t-elle, d'un voix atone.

A côté de ses traits pâles, de ses yeux gris éteints, le visage balafré de Milton Brabeck faisait un contrepoint presque comique.

– Où est Vladimir Bazarnov? demanda Malko.

– Je ne sais pas qui c'est.

Elle n'avait pas élevé la voix.

– Ecoute, dit-il, je sais que tu travailles pour le KGB, par l'intermédiaire de ton ami Chourik. A Varsovie, tu m'as occupé pendant que les autres liquidaient le colonel Trifanov. Ensuite, tu t'es enfuie. Je sais que tu as participé à l'enlèvement de Vladimir, même si tu le connais sous un autre nom. C'est vrai?

– *Da*.

La belle bouche semblait avoir diminué de moitié.

– Pourquoi?

– On me l'a demandé.

– Qui?

– Tu le sais bien.

– Comment ont-ils su qu'il se trouvait à Kaliningrad? C'est toi qui le leur as signalé?

– Non. Ils le savaient.

– Raconte-moi ce qui s'est passé.

Galina passa la langue sur ses lèvres.

– On m'a demandé de lui fixer rendez-vous. Dans le jardin. Ils ont envoyé trois hommes. Il n'a pas pu lutter, ils lui ont fait tout de suite une piqûre dans le bras. Ensuite, ils l'ont amené.

– Où?

– Je ne sais pas.

Ce qui était probablement vrai. Galina n'était qu'un rouage dans l'organisation du groupe Alpha. Brutalement, Malko réalisait qu'une fois de plus, il se trouvait dans une impasse. L'incident Galina ne faisait que lui confirmer quelque chose dont il était déjà persuadé. Comment aller plus loin?

– Les deux de tout à l'heure, c'est aussi Chourik qui les a envoyés?

Galina baissa les yeux, avala sa salive et finit par laisser tomber :

– Non, c'est moi. J'ai eu peur quand je t'ai vu. Je leur ai promis mille roubles à chacun. Ce sont des hooligans d'ici. Ils traînent toujours autour de l'hôtel pour voler les touristes.

Mille roubles, cela faisait moins de trente dollars. Pas cher pour une vie humaine.

– Donc, continua Malko, Chourik ne sait pas que je t'ai retrouvée.

– Non.

Le silence se prolongea quelques instants, rompu par Galina qui avait repris du poil de la bête, malgré le pistolet toujours enfoncé dans sa joue.

– Je t'ai tout dit maintenant, conclut-elle. Laisse-moi tranquille. Si tu veux toujours, on va dîner. Sinon, tu me ramènes au *Kaliningrad*. Je ne veux pas finir la gorge ouverte. Si Chourik apprend que je t'ai parlé...

Malko hésitait. Il n'avait pas absolument besoin de Galina pour la suite de son enquête. Elle n'en savait guère plus que lui. Seulement, il ne l'avait pas encore débriefée et, sur le terrain, elle pourrait fournir des informations précieuses. De plus, il était hors de question de la laisser dans la nature après ce qui s'était passé.

Son ton était résigné, commercial. Elle mit les points sur les I.

– Tu ne connais pas le pays. Les gens comme Chourik et ceux du KGB font ce qu'ils veulent. Tu ne retrouveras jamais celui que tu cherches. Il est déjà dans la Baltique avec du ciment autour des pieds. Et si tu les embêtes, ils te tueront aussi. On n'a pas le choix, ce sont les plus forts.

Sa voix vibrait de sincérité. Malko comprit qu'il fallait s'attaquer à une autre corde sensible.

– Je t'offre un deal, proposa-t-il. Cent mille dollars et un passeport américain. Pour m'aider à retrouver Vladimir Bazarnov.

Elle haussa les épaules, fataliste.

– D'accord, mais ils te tueront avant. Et moi avec.

CHAPITRE XIII

Les *kotlety* (1) étaient infâmes, baignant dans une sauce graisseuse où flottaient des débris innommables, les tomates desséchées venaient probablement de Tchernobyl et l'eau minérale avait un arrière-goût amer. Exaspérée par ces clients tardifs, la serveuse avait commencé à laver le plancher à grande eau, leur arrosant les pieds au passage... Mais c'était le seul établissement ouvert qu'avait pu dénicher Galina Vassiliev, rue Koutousova, presque en face du monument de Gagarine. Elle était bien la seule à faire honneur aux *kotlety*, enveloppée dans son imper, à cause de sa robe déchirée. Malko y avait à peine touché et les gorilles encore moins.

– Tu n'avais jamais vu les hommes qui ont enlevé Vladimir Bazarnov? demanda Malko.

– Non.

– Chourik ne t'a donné aucune explication?

– Il a seulement dit qu'il rendait service à ses amis. Il m'a envoyé une enveloppe avec dix mille roubles.

– Le nom de Katia Boudarenko te dit quelque chose?

– Non.

– Quels sont tes rapports avec Chourik? Tu es sa maîtresse?

(1) Boulettes de viande.

– Sa maîtresse! – Galina eut un sourire amer. – Il en a des dizaines et il préfère les vierges et les chevaux, comme tous les gens du Sud. Il me fait venir quand il y a des fêtes chez lui, ou il m'emmène en voyage. Il me prête à ses amis, aussi, quelquefois.

– Pourquoi le suis-tu toujours, s'il te traite si mal?

Galina lui jeta un regard de commisération.

– Tu ne comprends pas! Je travaille au *Kaliningrad* parce qu'on sait que Chourik me protège... Lui-même est intouchable. Il est intime avec le secrétaire du Parti de Kaliningrad, le patron du KGB et beaucoup d'autres. Une fois, il a giflé un milicien qui lui reprochait de conduire sa voiture ivre mort. On ne lui a rien fait.

– Les choses ont changé depuis peu, remarqua Malko.

Galina haussa les épaules.

– Mais non! ce sont toujours les mêmes qui tirent les ficelles. Et Chourik a des dollars. Beaucoup de dollars. Ici, avec des *vrais* roubles, on fait ce qu'on veut. Tout est à vendre.

A côté de la mafia soviétique, les mafiosi américains étaient des enfants de chœur... Malko paya l'addition et ils se retrouvèrent au bord du trottoir.

Chourik Koutchoulory savait probablement où se trouvait Vladimir Bazarnov. Seulement pour le lui faire dire, ça n'allait pas être facile...

– Qu'est-ce qu'on fait? demanda Galina.

– On va à Klaipeda, dit Malko. Voir votre ami Chourik.

– Maintenant? demanda Galina. C'est impossible, le bac ne fonctionne pas la nuit. Mais on peut coucher à Zelenogradsk, je connais un hôtel.

Malko ne tenait pas à rester à Kaliningrad. Pour se rendre à Klaipeda, il fallait suivre une langue de terre étroite – moitié russe, moitié lituanienne – qui se terminait juste en face de Klaipeda. Un bac permettait de franchir le bras de mer de quelques centaines de mètres.

– Très bien, dit-il, allons à Zelenogradsk.

***

La Mercedes filait sur la route déserte et rectiligne courant au milieu des bois recouvrant la langue de terre parallèle à la côte. Ils venaient de franchir la frontière séparant la Russie et la Lituanie, sans aucun contrôle. Théoriquement, on aurait dû apercevoir la Baltique sur la gauche et le Kursskig Zaliv à droite, mais la forêt était tellement dense qu'on ne voyait rien.

Ils avaient dormi à Zelenogradsk, en repartant à l'aube.

Galina somnolait à côté de Malko, comme si elle n'était pas concernée par ce voyage où elle risquait pourtant sa vie, et les deux gorilles étaient tassés à l'arrière. Malko l'observait du coin de l'œil. Il y a longtemps qu'elle avait renoncé à lutter, brisée par le système, se contentant de monnayer son extraordinaire beauté pour survivre.

En se réveillant, elle avait fait une seule remarque à Malko.

– Quand tu n'auras plus besoin de lui, il faut tuer Chourik. Sinon, il ne me pardonnera jamais, il me tuera. Une fois, une fille lui a volé de l'argent. Même pas des dollars, des roubles. Il l'a emmenée dans son écurie et il l'a fouettée à mort avec son gros knout. Quand il a eu fini, il l'a arrosée d'essence et il l'a brûlée vive...

Malko croyait chaque mot de ce qu'elle disait.

Quelle horreur! Il repensa au frère de Vladimir Bazarnov. Il n'avait pas voulu le revoir avant de partir, pour ne pas être obligé de mentir. Ce métier était parfois une abomination...

– Je te promets qu'il ne t'arrivera rien.

Depuis, ils n'en avaient plus reparlé...

Tout le long de la route, ils croisèrent de paisibles ramasseurs de champignons amenés par de petits autobus blancs qui semblaient sortir de Disneyland... Enfin, la mer apparut sur leur droite, plus exactement le lac Kursskig.

Peu à peu, les bouleaux et les sapins se firent plus clairsemés et Malko aperçut de l'autre côté du bras de mer des installations portuaires, des grues et des navires à quai.

– Nous sommes arrivés, annonça Galina.

La Mercedes embarqua sur le bac qui démarra aussitôt. La traversée ne durait que dix minutes environ. Galina tendit soudain le bras vers la gauche, désignant un entrepôt en plein air, où s'entassaient des containers.

– Tu vois les containers rouges là-bas? Ce sont des marchandises appartenant à Chourik attendant de partir pour la Finlande. Il y en a pour des centaines de millions de roubles. Cela fait un mois qu'elles sont là.

– Pourquoi sont-elles bloquées? Il n'y a pas de bateau? interrogea Malko.

– Oh si! Mais théoriquement, elles sont saisies par la douane. Parce que Chourik avait une licence d'exportation signée à Moscou qui n'est plus valable depuis l'Indépendance. Mais il est en train d'arranger cela. Les douaniers lituaniens aiment aussi les dollars.

– Ce sont des jeans? demanda Malko, se remémorant sa conversation avec Vitas Kudaba.

Galina lui jeta un regard intrigué.

– Comment le sais-tu? Oui, des jeans par milliers. Ils ne lui coûtent presque rien et il les vend très cher.

Malko venait d'avoir une idée. Tandis que le bac s'engageait dans la Dane, une petite rivière traversant tout Klaipeda, il dit à Galina :

– J'ai besoin des numéros de téléphones de Chourik. Chez lui et au bureau. Quelles sont ses habitudes?

– Il n'en a pas, dit-elle. S'il a fait la fête la nuit, il ne se lève pas avant l'après-midi. Sinon, il peut être au travail à sept heures.

– Bien, dit Malko. J'aimerais voir ses containers de plus près.

Le bac se mit en travers et ils débarquèrent dans Tiltu gatve. Guidé par Galina, Malko retrouva Vosto gatve qui courait le long des docks. A l'entrée, un gardien était installé dans une guérite en train de lire un illustré. Deux voitures passèrent devant lui sans qu'il lève même la tête.

– Ce n'est pas très bien gardé, remarqua Malko.

Galina eut un geste désabusé.

– D'abord, personne ne serait assez fou pour aller voler quelque chose qui appartient à Chourik. Ensuite, pour 200 roubles par mois, le gardien ne va pas risquer un coup de couteau...

Ils continuèrent, remontant vers l'ouest, retrouvant la côte. La mer était grise, avec de grosses vagues battant d'immenses plages désertes. Bientôt, il n'y eut plus une maison.

– Chourik habite à Palanga, expliqua Galina. C'est une station balnéaire très jolie.

La route longeait la plage. Une vingtaine de kilomètres plus loin, ils virent arriver en face une longue voiture noire. Le sang se retira du visage de Galina.

– C'est lui!

La Tchaika les croisa à toute vitesse. Malko distingua plusieurs hommes à l'intérieur, sans reconnaître Chourik Koutchoulory. Quelques minutes plus tard, des barrières blanches apparurent sur la droite de la route, encerclant une prairie où s'ébattaient des chevaux.

– C'est chez lui, annonça Galina.

Au fond, se trouvait une énorme isba, avec des dépendances, des écuries et plusieurs voitures. Une antenne satellite était plantée devant la maison. On se serait cru dans n'importe quel coin d'Europe de l'Ouest. Malko fit le tour du domaine sans rien voir de spécial et ils reprirent la route de Klaipeda.

Malko savait maintenant comment il allait procéder pour engager le dialogue avec le mafioso ouzbek.

*
**

– Je voudrais parler à Chourik Koutchoulory, annonça Malko à une secrétaire qui l'avait pris en ligne.

– Qui êtes-vous?

– Un ami. Malko Linge. Je suis certain qu'il sera heureux de me parler.

– Ça m'étonnerait, fit la fille, prête à raccrocher. Mr. Koutchoulory est très occupé. Il part en voyage.

– Dans ce cas, demandez-lui simplement si ses marchandises prêtes à embarquer entreposées sur les docks de Vosto gatve – les jeans fabriqués clandestinement à Serpoukhov – sont bien assurés.

Il raccrocha sans laisser à son interlocutrice le temps de poser des questions, puis rejoignit Galina qui l'attendait dans la Mercedes en face de l'hôtel *Klaipeda.* Ils avaient juste le temps de gagner l'entrepôt en plein air. Le gardien leva à peine la tête en revoyant la Mercedes passer. Malko alla jusqu'au fond, entre le quai et la file de containers, invisible de la rue. Chris Jones et Milton Brabeck surgirent aussitôt de derrière un amoncellement de containers.

– Ça va marcher? demanda Malko à Chris Jones.

– Evidemment! fit le gorille, vexé.

Trente secondes plus tard, il y eut une explosion sourde provenant du premier container rouge, suivie d'une sorte de ronflement. Une langue de flammes et de la fumée commencèrent à filtrer à travers les interstices des portes. La grenade incendiaire déposée à l'intérieur du container par Chris et Milton venait d'exploser, mettant le feu à la cargaison de jeans préalablement imbibée d'essence, à l'aide de deux jerricans.

Pendant quelques instants, cela ne fut pas spectaculaire, puis avec un plouf sourd la porte du container explosa dans une gerbe de feu, et fut projetée à plusieurs mètres.

Des flammes jaillirent de l'ouverture, enveloppant tout le container. Le coton, ça brûlait bien...

Les flammes commençaient à lécher le container voisin lorsqu'une Tchaika noire franchit la grille en trombe et s'arrêta à côté de l'incendie dans un hurlement de pneus.

Chourik Koutchoulory en sortit, accompagné de trois malabars. Le mafioso ouzbeck regarda l'incendie, médusé, puis poussa un hurlement de bête blessée en apercevant la Mercedes. Comme un fou, il replongea dans la Tchaika, en ressortit tenant une Kalachnikov et, sans hésiter une seconde, ouvrit le feu sur la Mercedes. C'était un impulsif...

Galina Vassiliev poussa un hurlement de terreur et se recroquevilla contre Malko. Les projectiles du fusil d'assaut frappaient la carrosserie avec des bruits sourds, sans causer aucun dégât. L'un d'eux s'écrasa sur la lunette arrière, ce qui fit une belle étoile.

– La voiture est blindée, expliqua Malko. Nous ne craignons rien.

Le chargeur de la Kalach fut vide en quelques secondes. Chourik Koutchoulory la jeta à terre, encore ivre de rage, puis parut se calmer d'un coup. Il avait compris. D'un bond, il remonta dans la Tchaika. Malko se contenta de démarrer paisiblement, s'éloignant du brasier. Le dialogue était établi. Déjà, dans le lointain, on entendait la sirène d'une voiture de pompiers. Le gardien avait donné l'alarme. Le container brûlait maintenant comme un feu de Bengale.

Le conducteur de la Tchaika hésita quelques secondes, puis démarra à son tour derrière la Mercedes. L'un suivant l'autre, les deux véhicules remontèrent la rue Melnikleites. Malko s'arrêta devant l'hôtel *Klaipeda*, et pénétra dans l'hôtel, escorté de Chris Jones, laissant Galina et Milton dans la Mercedes. Il traversa le hall et dit au gardien, en poste devant l'ascenseur :

– Dites à Mr. Koutchoulory que son ami l'attend au bar du neuvième.

A cette heure, le bar était désert. Malko s'installa dans un box, commanda une vodka, Chris Jones surveillant la porte et attendit.

*
**

Chourik Koutchoulory s'encadra dans la porte trois minutes plus tard, les yeux injectés de sang, suivi de deux gorilles au teint foncé, massifs comme des bûches, de la taille de Chris Jones. Il fonça droit sur Malko et l'apostropha, en russe.

– Qui es-tu, espèce de petit salaud?

De petite taille, il se tenait très droit, étirant son cou de taureau, le menton levé à la Mussolini. Malko, avec un sourire suave, lui désigna la banquette en face de lui.

– Nous nous sommes déjà vus à Varsovie, je crois, chez notre ami Samir Moussawi. Vous étiez avec la ravissante Galina.

Chourik Koutchoulory le fixait, le front plissé, dissimulant sa surprise. C'était bien la première fois qu'on lui tenait tête. Il grommela :

– C'est cette salope qui vous a rencardé. Je lui arracherai la peau. Qu'est-ce que vous me voulez?

– Un petit service, dit Malko. Je m'intéresse beaucoup à Vladimir Bazarnov. L'homme dont vous avez organisé l'enlèvement à l'hôtel *Kaliningrad*, il y a trois jours. Je veux savoir où il se trouve.

Les yeux du mafioso ouzbek se rétrécirent.

– Je ne sais pas de quoi vous parlez.

Malko lui adressa un nouveau sourire désarmant.

– Dans ce cas, vos containers vont continuer à brûler... C'est dommage de voir tous ces dollars s'évanouir en fumée. A propos, ne cherchez pas à les ouvrir. Ils sont piégés. Ils prendraient feu immédiatement. Comme vous ne pouvez pas les bouger, à cause de la douane...

Il crut que le mafioso ouzbek allait se jeter à sa gorge. Il le fixait avec une haine telle que la barmaid disparut derrière son comptoir. Puis, les veines de son cou reprirent un aspect plus normal.

– Qui êtes-vous? croassa-t-il. Vous savez ce que vous risquez?

– Vous vous en doutez bien, dit Malko. Mais au cas où vos amis ne vous l'auraient pas dit, je travaille pour les Services de renseignement américains et je dispose d'une organisation plus puissante que la vôtre. Si vous refusez de collaborer, vos containers vont brûler jusqu'au dernier. C'est presque toute votre fortune, n'est-ce pas?

La main de Chourik Koutchoulory plongea dans sa poche intérieure et ressortit, serrant un gros pistolet automatique.

– Je vais vous tuer! lança-t-il entre ses dents.

– Retournez-vous, conseilla Malko.

Chris Jones n'avait pas bougé. Seule, sa main droite avait jailli de sa poche, tenant un Tokarev. Braqué sur le mafioso. Ce dernier mesura le risque instantanément et rentra rageusement son pistolet au fond de sa poche, livide de rage.

– *Karacho!* fit-il. Vous ne perdez rien pour attendre.

– Vous ne m'avez pas répondu, insista Malko. Le temps presse. J'ai besoin de retrouver Vladimir Bazarnov.

– Pourquoi?

– Vous tenez vraiment à le savoir? A la seconde où je vous le dirai, vos amis vous liquideront. Vous êtes dans une affaire qui vous dépasse.

Chourik Koutchoulory demeura silencieux d'interminables secondes. Peu à peu, sa colère semblait tomber.

Il n'était pas arrivé où il était sans se servir de son cerveau. Il pouvait reconnaître une situation où le rapport de force n'était pas en sa faveur. Penché en avant comme un fauve, il gronda :

– Je ne sais pas où est ce foutu Bazarnov.

Malko chercha son regard. A la tension des muscles de son visage, il sentit que l'autre disait la vérité.

– Qu'en avez-vous fait?

– Je ne l'ai même pas vu. Ils l'ont emmené Dieu sait où. Ils ne me l'ont pas dit.

C'était vraisemblable.

– Il va falloir vous débrouiller pour l'apprendre, conclut Malko. Sinon, il va y avoir un sacré feu de joie sur les docks.

De nouveau, le mafioso ouzbek faillit lui sauter dessus. Les mains à plat sur la table, il contenait sa rage. Ses deux hommes sur le pas de la porte l'observaient médusés. Le silence se prolongea plusieurs secondes. Soudain, sans un mot, il se leva, gagna la porte et disparut dans l'escalier, escorté de ses deux gorilles.

Malko rongeait son frein, allongé sur son lit dans sa chambre du *Klaipeda*, lorsque le téléphone sonna. Tout de suite, il reconnut la voix rugueuse de Chourik Koutchoulory.

– Je donne une petite fête chez moi ce soir, annonça-t-il. Je vous y attends. Avec Galina.

– Je ne suis pas ici pour faire la fête, répliqua Malko.

Le mafioso ouzbek émit un juron indistinct et précisa :

– Ce n'est pas *seulement* pour boire de la vodka. J'ai réfléchi à votre offre. Il y a peut-être moyen de s'arranger. Il faut qu'on en discute. Alors, je vous attends, vers dix heures. Galina sait où c'est.

– Pourquoi avec Galina?

Le mafioso ouzbek émit un son entre le rire et le ricanement.

– Je vous l'expliquerai. Mais ce n'est pas pour lui faire du mal. Je vous le jure sur les Saintes Icônes.

Dans sa bouche, ce n'était pas triste.

Il raccrocha, sans laisser à Malko le temps de poser d'autres questions. Celui-ci laissa se calmer les battements de son cœur. Le dialogue était cette fois bien engagé, mais l'Ouzbek ferait tout pour l'éliminer. Ça allait être une partie redoutable.

CHAPITRE XIV

Les phares éclairaient un paysage qui – les bouleaux argentés au tronc rectiligne mis à part – aurait pu être celui des Landes. A droite, la forêt, à gauche, des dunes se terminant en plage de sable où venait se briser la Baltique. Un panneau signalant l'entrée de Palanga brilla fugitivement. Galina Vassiliev se tourna vers Malko et dit d'une voix blanche :

– J'ai peur.

Ils étaient seuls dans la Mercedes. Après avoir mûrement réfléchi, Malko avait décidé de laisser Chris et Milton en protection extérieure. Galina leur avait trouvé un taxi qu'ils pouvaient utiliser le cas échéant, avec un chauffeur parlant anglais. S'ils tombaient tous les quatre dans un guet-apens, c'était fichu. Chourik Koutchoulory ignorait de combien d'hommes disposait Malko. Il serait impressionné de le voir arriver seul. Evidemment, avec lui, il y avait un risque. Malko posa la main sur le genou de Galina.

– Ne craignez rien. Chourik aime les dollars avant tout. L'incendie de son container l'a fait réfléchir. C'est le seul langage qu'il comprenne.

Chris Jones et Milton Brabeck avaient pour instruction d'attaquer la résidence du mafioso si Malko n'était pas de retour à deux heures du matin. Ce dernier avait, par précaution, scotché son pistolet extra-plat sous le siège de la Mercedes.

– A droite, indiqua Galina.

Il tourna dans un chemin perpendiculaire à la route, parvenant à une barrière blanche, gardée par deux hommes qui lui firent signe d'arrêter. Tous les deux avaient une Kalachnikov à la main. Ils examinèrent la Mercedes, dirent quelques mots dans un walkie-talkie et firent signe à Malko de continuer.

Toute la datcha du mafioso ouzbek ruisselait de lumières. A la porte, il fallut franchir le barrage de deux gardes qui, cette fois, fouillèrent Malko. Galina, les jambes flageolantes, s'accrochait à son bras.

Chourik Koutchoulory les attendait, vêtu d'un costume de soie bleue, avec une cravate jaune canari et des bottes en vison. Caricature d'un gangster américain. La grande pièce rustique, aux murs décorés de tableaux et de photos de chevaux, était pleine de monde. Un orchestre cosaque en costume folklorique dont les membres arboraient d'énormes moustaches jouait avec entrain, soutenant trois chanteuses ravissantes aux corsages blancs bien remplis, que leur costume folklo n'arrivait pas à rendre ridicules. Le mafioso ouzbek serra longuement la main de Malko, ignorant Galina.

– Bienvenue, lança-t-il. Venez goûter quelques harengs de Sotchi.

Prenant Malko par le bras, il l'entraîna vers le buffet, croulant sous les traditionnels zakouskis : harengs, viandes fumées, saucisses, œufs d'esturgeon, concombres, salades de toutes sortes. A côté, s'alignaient tous les alcools les plus recherchés à l'Ouest, à côté du champagne de Crimée et de la vodka : du Dom Pérignon, du Cointreau, du Johnnie Walker Carte Noire, du Moët millésimé. La caverne d'Ali Baba. Le maître de maison s'arrêta devant une boîte d'environ cinq kilos de caviar superbe.

– Servez-vous, dit-il à Malko.

– C'est du caviar, remarqua ce dernier, pas des harengs.

Chourik Koutchoulory éclata d'un gros rire heureux,

montrant l'inscription sur la boîte : *Harengs mis en boîte à Sotchi.*

– Pour les douanes, ce sont seulement des harengs. Cela permet de les payer seulement quelques roubles.

Encore une des multiples combines qui saignaient l'Union soviétique. Malko se servit, regardant autour de lui : cela pullulait de filles superbes, certaines extrêmement jeunes qui semblaient mal à l'aise, assises dans des coins. Galina se pencha à l'oreille de Malko.

– Vous voyez ces filles? On les lui a rabattues pour quelques centaines de roubles. Ce sont des vierges. Avant la fin de la soirée, elles ne le seront plus. C'est son plus grand plaisir, à ce salaud.

Chourik avait rempli deux verres de vodka. Il en tendit un à Malko.

– *Na zdaroi ribiata!* (1)

Ils burent ensemble selon la coutume et jetèrent leurs verres sur le sol. Le mafioso lança un regard appuyé à Malko.

– Vous avez des couilles! Même les gens du KGB ont peur de venir ici.

– Je crois que nous devrions parler business, répliqua Malko.

Le mafioso ouzbek éclata d'un rire énorme, découvrant ses dents de fauve.

– Bien sûr! Je suis heureux de travailler avec Amerikanski! C'est l'avenir!

Redevenu sérieux, il se haussa sur la pointe des pieds pour dire à l'oreille de Malko.

– Dans le container, il y avait pour 100 000 dollars de jeans. Il faut me les payer. Ensuite, je vais avoir des ennuis, si je vous aide. De gros ennuis. Celà vaut 50 000 dollars. Et pour Galina, si vous ne voulez pas que je me fasse un sac avec la peau de ses seins, c'est encore 20 000 dollars. Pour les frais, ce sera 30 000 dollars.

(1) A votre santé!

Il énumérait les dollars en salivant. Puis se recula pour juger de la réaction de Malko.

Ce dernier ne broncha pas.

– Cela me paraît cher, mais raisonnable, compte tenu des circonstances, fit-il simplement. Vous aurez ces deux cent mille dollars lorsque j'aurai identifié l'endroit où se trouve Vladimir Bazarnov.

Chourik Koutchoulory eut une mimique approbatrice. Visiblement, le KGB lui faisait moins peur maintenant que l'idée de voir la fortune s'envoler en fumée.

– *Karacho*, seulement, on ne se connaît pas assez. Une fois que vous aurez ce que vous voulez, vous pourriez ne pas avoir envie de revoir votre ami Chourik. Alors, je garde Galina. Si vous ne reveniez pas, je lui arracherais la peau avec mon knout. Sinon tout se passera bien. Vous revenez avec les 200 000 dollars et je vous rends cette chienne.

– D'accord, accepta Malko. Où est Vladimir Bazarnov?

Le visage de l'Ouzbek se rembrunit.

– Je ne le sais pas encore, avoua-t-il. Celui qui peut nous l'apprendre va arriver, le major Sergueï Medounov. En attendant, amusons-nous.

Ignorant Galina, il fit signe à une brune souple comme un liane, les cheveux séparés par une raie au milieu et nattés dans le dos, avec un air vaguement asiate, mais des yeux bleus. Sa robe noire hypermoulante était boutonnée du cou au chevilles, épousant un corps parfait.

– Voilà Macha, Miss Baltique 1991, annonça-t-il. Elle va vous faire patienter.

Il s'éloigna de Malko pour bavarder avec d'autres invités. Macha s'accrocha au bras de Malko.

– Voulez-vous danser, boire, ou visiter la datcha avec moi?

Indifférente, Galina se servit une vodka, après avoir échangé quelques mots avec la nouvelle venue. Malko s'assit entre les deux femmes, sur un canapé. Quelques instants plus tard, commença un défilé de filles superbes, toutes dans des maillots sophistiqués et sexy. On se serait cru à Las Vegas, malgré les cosaques... La voisine de Malko semblait très déçue qu'il ne s'occupe pas d'elle. Elle noya sa tristesse en se versant une grande rasade de Cointreau dans lequel elle fit tomber trois glaçons. Pensivement, elle regarda ensuite le liquide cristallin devenir opalescent, humant les effluves mentholés. Le défilé terminé, les cosaques reprirent de plus belle, mais personne ne les écoutait. Soudain, un géant au torse moulé d'une chemise de soie rouge vint se pencher à l'oreille de Malko.

– Suivez-moi, dit-il simplement.

Ils sortirent, traversant une cour privée séparant le bâtiment principal des écuries. La porte en était ouverte. A droite, Malko aperçut des stalles avec des chevaux. A gauche, un endroit étrange qui tenait du bureau et de la chambre à coucher. Près de l'entrée, un superbe bureau Louis XV rehaussé de dorures massives avec un fauteuil qui était un véritable trône. Il faisait face à un canapé de soie bleue devant lequel se trouvait une table en plexiglas moulé et sculpté. Au fond, il y avait un immense lit avec les tables de nuit assorties et un bar, le tout en glaces. Une grande couverture de guanaco, jetée sur le lit, tombait jusqu'au sol. Deux hommes étaient installés sur le canapé : Chourik Koutchoulory et un inconnu au visage rougeaud. Koutchoulory vint au-devant de Malko avec un sourire radieux.

– Vous aimez ici? J'ai tout commandé à Paris, chez un grand décorateur. Claude Dalle. Même à Moscou, ils n'ont pas des meubles comme ça!

Malko s'extasia poliment. Il avait hâte de passer aux choses sérieuses.

*
**

Le visiteur du mafioso ouzbek avait les cheveux trop courts, coupés comme les officiers soviétiques, une tête de paysan, avec de petits yeux gris, l'allure générale d'un boucher. Cigare au bec, Chourik referma la porte sur Malko et vint se planter en face de lui. Il retira son cigare de sa bouche et lança :

– Sergueï Dimitrovitch, tu vas me rendre un service!

Sergueï Medounov se fendit d'un large sourire et machinalement se leva.

– *Pojoloniska,* Chourik Issenkovitch.

Sa voix vibrait de servilité. Les mains le long du corps, il se dandinait d'un pied sur l'autre. Chourik pointa son cigare sur lui et ajouta d'une voix caressante :

– Et en plus, Sergueï Dimitrovitch, cela va te rapporter un paquet de *vrais* roubles.

– *Spasiba, spasiba,* s'extasia le major du KGB.

Le mafiosi ouzbek se tourna vers Malko.

– C'est Sergueï Dimitrovitch qui a pris livraison du colis, l'autre jour, à Kaliningrad.

L'officier du KGB jeta un coup d'œil intrigué à Malko, se demandant à qui pouvait se confier Chourik Koutchoulory sur un sujet aussi sensible... Ce dernier ne lui laissa pas le temps de réfléchir.

– Où as-tu déposé ton colis? demanda-t-il d'un ton égal.

Le Soviétique se passa la langue sur ses lèvres et secoua la tête avant de dire d'une voix hésitante :

– Je ne peux pas le dire. Même à toi, ajouta-t-il plaintivement.

L'Ouzbek eut un rire tonitruant.

– Mais ce n'est pas à moi que tu vas le dire, c'est à lui...

Le cigare désignait Malko.

– C'est impossible, impossible, murmura l'homme qui avait pâli. Tu le sais bien, Chourik, c'est un secret d'Etat.

– Bien sûr, bien sûr, reconnut Chourik Koutchoulory, avec un hochement de tête plein de compréhension.

Il ouvrit la porte et siffla brièvement entre ses dents, comme un charretier. Aussitôt, le géant à la chemise rouge surgit de l'ombre, accompagné de son jumeau...

Sans un mot, ils se jetèrent sur l'officier du KGB. Il y eut une brève lutte, mais il n'était pas de taille. Frappé avec une violence inouïe, il se retrouva ligoté au milieu de la pièce d'une façon bizarre. Agenouillé, comme un musulman faisant la prière, grâce à un système compliqué de cordes. Un des hommes lui posa un pied sur la nuque, comme il cherchait à se relever. Chourik Koutchoulory tirait à petits coups sur son cigare qu'il écrasa finalement dans le cendrier. Avec une grimace, il s'assit, tira un nouveau cigare de sa poche, un vrai bâton de chaise, et l'alluma soigneusement. Les rires et les chants des cosaques continuaient dans la datcha, parvenant faiblement jusque-là.

– *Davai!* lança-t-il soudain à ses deux acolytes.

L'un d'eux se précipita et défit la ceinture du pantalon de l'homme agenouillé au milieu du bureau. Il le lui baissa sur les cuisses et fit de même pour son caleçon, découvrant des fesses poilues et blanches. Malko sentit sa gorge se serrer. Il n'aimait pas cela du tout...

Le mafioso ouzbek se tourna vers le prisonnier et annonça d'une voix douce :

– Sergueï Dimitrovitch, je crois que tu n'as pas bien compris ce que je voulais. Où as-tu déposé le colis? *Gdie*? (1)

L'autre s'étrangla de fureur.

– Crapule! hurla-t-il, quand le général saura ce que tu as fait, je ne donne pas cher de ta peau.

(1) Où?

L'Ouzbek ne broncha pas. Pendant quelques secondes, il tira avidement sur son cigare, jusqu'à ce que son extrémité forme un cercle rougeoyant. A ce moment, il fit signe à l'homme à la chemise rouge. Ce dernier, des deux mains, dégagea la raie fessière.

Sans même bouger de sa chaise, Chourik Koutchoulory appuya alors le bout du cigare incandescent sur l'anus du prisonnier, l'y maintenant.

Le hurlement qui jaillit de la gorge du malheureux couvrit les cris et les coups de sifflet des cosaques. Les deux hommes eurent du mal à l'empêcher de se rouler par terre.

Malko fit un pas en avant, écœuré.

– Arrêtez!

Le mafioso s'arrêta net. Un des deux « assistants » avait tiré de sa botte un long poignard dont il appuyait la pointe sur le foie de Malko. Prêt à l'embrocher.

– Il faut savoir ce qu'on veut, grommela l'Ouzbek. Laissez-nous faire notre travail.

L'odeur de roussi était écœurante. L'Ouzbek laissa le cigare en place quelques secondes, puis le retira et recommença à tirer dessus jusqu'à ce que, de nouveau, le cercle rouge apparaisse. Il se pencha alors sur sa victime et dit d'une voix égale :

– Sergueï Dimitrovitch, puisque tu n'as pas compris, nous allons fumer ce cigare à deux. Pour toi, ce sera très désagréable; pour moi, très agréable. C'est un Coiba, ce que fait de mieux le camarade Castro. Tu as vu comme il est long?

Il promena le cigare sous le nez de l'officier du KGB avant de le replonger entre ses fesses écartées. Il sembla à Malko que le hurlement était encore plus atroce. Cette fois, Chourik s'amusa à en faire tourner le bout, pénétrant encore plus le sphincter à vif. Il se tourna vers Malko.

– C'est une méthode qu'on appliquait aux voleurs pour leur faire avouer où ils cachaient leur butin. Ils ne tenaient jamais jusqu'au bout du cigare.

L'officier, lui, tenait bon... Entrecoupant ses hurlements d'injures effroyables à l'égard de son tortionnaire.

Son anus n'était plus qu'une plaie sanglante. Maintenant, le cigare, à chaque bouffée, s'enfonçait de plus d'un centimètre dans son intestin écarlate. La douleur devait être tout simplement abominable. Impavide, Chourik continuait de tirer sur son Coiba et de se pencher pour l'enfoncer dans l'anus offert.

Les deux « assistants » étaient impassibles, habitués à ce genre de traitement. Chez les Ouzbeks on était plutôt porté sur la cruauté...

*
**

Le Coiba avait diminué d'un tiers et la pièce était remplie d'une fumée épaisse quand le supplicié décida de parler. Il était mutilé au-delà de toute réparation. Il avait tellement hurlé que sa voix était complètement cassée. De temps à autre pour s'amuser, Chourik versait un peu de vodka sur l'anneau sanglant et il criait encore plus.

– C'est pour désinfecter, lançait plaisamment le mafioso.

Malko était au bord de la nausée.

Chourik Koutchoulory releva le visage creusé par la douleur de sa victime, qui se mit à lui parler à voix basse. L'Ouzbek posa plusieurs questions puis laissa retomber la tête. Ecroulé de douleur, l'homme s'effondra sur le côté en gémissant. Chourik se tourna vers Malko.

– Il m'a donné le renseignement.

– Alors?

– Nos conventions tiennent toujours?

– Oui.

– Bien, allons boire un peu.

Il entraîna Malko hors du bureau. Dans le living de la datcha, c'était une sarabande indescriptible. Tout le monde était ivre mort. La plupart des filles ayant ôté leurs maillots dansaient nues, en bottes ou en escarpins. Un moustachu cosaque en avait renversé une sur la table et, les jambes sur ses épaules, la besognait en buvant de la vodka à la bouteille...

Chourik but une énorme lampée de vodka. Ses yeux étaient presque vitreux. Macha voulut s'asseoir sur ses genoux, mais il la repoussa si brutalement qu'elle tomba sur le tapis.

Il avisa une des vierges, lui fit signe et elle accourut docilement. Aussitôt, il l'installa sur ses genoux et commença à fourrager sous sa robe, comme si c'était une poupée. Malko avait rarement croisé personnage aussi répugnant... Galina, tassée sur un coin du canapé, semblait absente, un verre de Cointreau à la main.

Chourik Koutchoulory se tourna vers Malko, lâchant :

– Celle-là ne comprend que le lituanien. Nous pouvons parler.

Au même moment, une détonation assourdie domina le tumulte. Cela venait des écuries. Impassible, le mafioso ouzbek laissa tomber :

– Il était trop abîmé.

Exit l'officier du KGB. Malko était sur des charbons ardents. Le mafioso le fixa d'un regard triste.

– Je crois qu'on s'est donné du mal pour rien, dit-il.

– Pourquoi?

– Parce que Vladimir Bazarnov se trouve dans une caserne de l'armée soviétique, bouclé dans une cellule sous la protection du KGB et de cinq cents troufions.

CHAPITRE XV

Les chants des cosaques et les stridences de l'accordéon parurent soudain insupportables à Malko. Avoir accepté cette horreur pour ce résultat! Les cris inhumains du torturé et le bruit sourd du projectile qui avait mis fin à ses souffrances résonnaient encore dans ses tympans... En quelques mots, Chourik Koutchoulory venait de réduire les espoirs de la CIA à zéro. Même avec Chris et Milton, il ne pouvait attaquer une caserne de l'Armée rouge. Il avait expérimenté les méthodes du KGB. Vladimir Bazarnov finirait par parler et le groupe Alpha récupérerait les documents accablants pour le Président de l'Union, même au prix d'un bain de sang.

– Donnez-moi des détails, s'entendit-il demander machinalement.

Le mafioso ouzbek dut crier pour dominer le vacarme.

– Ils l'ont enfermé à la Cité du Nord, la caserne de la Division mécanisée 107 – des blindés – rue Apkasy, dans le nord de Vilnius. Toute une partie de ces bâtiments est sous le contrôle du général du KGB Fedosejevas. Il y a des cellules dans le sous-sol où les militaires de la 107 n'ont pas accès. C'est là qu'il se trouve. Il paraît que plusieurs huiles de Moscou sont venus pour superviser son interrogatoire. Alors?

Le mafioso le scrutait de ses petits yeux malins, le

menton levé, fourrageant machinalement entre les cuisses de la fille assise sur ses genoux. Une blonde très pâle qui ne devait pas avoir plus de seize ans. Autour d'eux la fête continuait, se transformant peu à peu en orgie. Chourik Koutchoulory attrapa sur un plateau un blinis aux choux et commença à le dévorer.

La bouche pleine, il remarqua :

– Vous avez intérêt à agir vite si vous voulez tenter quelque chose. Pour Sergueï Medounov, personne ne saura jamais la vérité. Ils vont m'appeler demain pour savoir où il est. Je dirai qu'il est parti ivre mort au volant de sa voiture. On va arranger une petite mise en scène sur la route entre ici et Klaipeda...

– Nous allons partir tout de suite, dit Malko.

Son hôte secoua la tête.

– Pas « nous ». Vous. Je garde Galina avec moi, tant que je n'ai pas les 200 000 dollars. C'est le deal.

Galina continuait à boire, non loin d'eux. Comme détachée de tout. Malko comprit que Chourik ne prendrait aucun risque.

– Si vous touchez un cheveu de sa tête, fit-il calmement, ce ne sont pas des dollars que vous aurez...

L'Ouzbek eut un gros rire.

– Vous croyez qu'elle vaut 200 000 dollars ! N'ayez pas peur. Je vous la rendrai intacte.

Malko alla rejoindre Galina. Elle leva vers lui son visage de madone avec une expression interrogative.

– J'ai passé un accord avec Chourik, annonça-t-il. Tu restes ici sous ma protection. Je reviendrai te chercher dans deux ou trois jours au plus tard.

Une brève lueur de panique passa dans les yeux de Galina, vite éteinte.

– *Karacho*, fit-elle, d'un ton plein de fatalisme.

Chourik Koutchoulory raccompagna Malko jusqu'à sa voiture. Les deux hommes ne se serrèrent pas la main. Malko était certain de sa discrétion. Jamais le KGB ne lui pardonnerait de l'avoir trahi.

*
**

Chourik Koutchoulory regarda les feux de la Mercedes disparaître avant de rentrer. Une angoisse inhabituelle lui serrait la gorge. Il avait beau savoir que le KGB était affaibli, liquider un de leurs officiers était une chose grave. Surtout pour un homme comme lui. Furieux contre lui-même, il regrettait d'avoir cédé à l'appât du gain.

Il avait besoin de se changer les idées. Galina et la jeune vierge, Nyelé, étaient là où il les avait laissées. Macha vint au-devant de lui, un sourire lascif sur sa grosse bouche. La vitalité du mafioso la fascinait et elle était de toutes ses orgies. En plus, elle le connaissait bien. Passant un bras autour de son cou, elle lui susurra à l'oreille :

– Tu n'as pas envie de t'amuser un peu?

Ce qui flottait dans ses yeux balaya instantanément les soucis du mafioso ouzbek.

– Prends Nyelé et Galina, et rejoins-moi de l'autre côté, fit-il.

Ses invités n'avaient plus besoin de lui et il aimait bien son écurie avec l'odeur des chevaux et son « bureau ». Lorsque les trois femmes le rejoignirent, il s'était déjà déshabillé, ne gardant que ses bottes en vison. Il avait un corps massif, extraordinairement poilu, et un membre viril qui pendait jusqu'au milieu de sa cuisse. A peine fut-elle entrée que Macha alla droit sur lui et commença à le manipuler dans tous les sens, jusqu'à ce que l'énorme matraque soit à l'horizontale.

Nyelé, assise sur le bord du lit, très pâle, contemplait le spectacle, la gorge sèche. Galina continuait à boire. Elle en avait vu d'autres... Quand Macha ouvrit la bouche à se décrocher les mâchoires et engloutit une partie du membre, Chourik poussa un grognement d'aise et ses yeux se posèrent sur Nyelé avec une expression telle qu'elle se sentit fondre. Il se retourna et lança à Galina :

– Alors, tu ne fais rien!

Docilement, elle le rejoignit et entreprit de compléter le travail de Macha. Chourik râlait sourdement, oscillant d'avant en arrière. Brutalement, arrivé au bord du plaisir, il repoussa Macha. Celle-ci se releva avec un sourire salace et lui glissa quelque chose à l'oreille qui lui arracha un grognement ravi. Déjà, elle allait chercher Nyelé, la forçant à se lever du lit.

Chourik se manuelisait avec lenteur, les yeux vrillés sur la jeune vierge. Un cheval hennit dans l'écurie voisine et il frissonna de plaisir.

– Prends-moi par le cou, ordonna-t-il à Nyelé.

Celle-ci, terrifiée, obéit. Aussitôt, Macha, placée derrière elle, la souleva du sol et lui dit à l'oreille :

– Maintenant, entoure-lui la taille avec tes deux jambes.

Le regard de Nyelé se fit suppliant et elle voulut redescendre, mais Macha lui tenait les chevilles.

– Non, vous ne pourrez pas, dit-elle à Chourik, vous êtes beaucoup trop gros.

Ce dernier ne répondit même pas, pesant sur les épaules de la jeune vierge. Lorsque celle-ci sentit l'extrémité brûlante du membre en contact avec son sexe nu, elle cria. Galina, sur un regard du mafioso, venait à la rescousse. Prenant entre ses doigts l'épaisse colonne de chair, elle la plaça exactement où il fallait. Nyelé sanglotait, suppliait. Chourik respirait lourdement, fou d'excitation.

La « selle ouzbek » était sa façon favorite de déflorer ses victimes.

Soudain, un bramement de douleur s'échappa de la bouche de Nyelé. Le lourd phallus poussait contre la membrane de son hymen.

– Ça fait mal! cria-t-elle. Ça fait trop mal. Retire-toi.

Comme pour la satisfaire, Chourik la prit par les

hanches, la soulevant un peu. Elle n'eut pas le temps de souffler. Pesant lourdement sur ses épaules, le mafioso la força à s'empaler sur sa verge monstrueusement bandée, qui s'enfonça d'un coup au fond du ventre de Nyelé. Celle-ci poussa un beuglement de douleur.

Les deux femmes s'étaient écartées. Macha, avec un sourire vicieux, contemplait la gamine empalée dont Chourik s'amusait à torturer les seins. Il se mit à se promener autour de la pièce, pour finalement plier les genoux et poser délicatement Nyelé au bord du lit. D'un geste rapide, il se retira, la plaça à genoux sur le lit, et la viola à nouveau. La prenant aux hanches, il se mit à la chevaucher en haletant comme un bœuf.

La bouche ouverte, Nyelé se tortillait sous les coups de boutoir qui la défonçaient, comme un insecte épinglé.

Lorsqu'il se vida en elle, Chourik l'attira de toutes ses forces contre lui et s'écrasa de tout son poids sur elle, foudroyé.

Macha se pencha vers Galina et murmura d'une voix rauque :

– Qu'est-ce qu'il lui a mis...

Elle adorait ces séances sauvages, primitives. Galina ne répondit pas. Elle se dégoûtait. Parti comme il l'était, Chourik allait vouloir s'amuser avec ses chevaux. Or, là, il devenait carrément fou. Une amie à elle avait dû être enterrée dans le jardin, après une séance qui avait mal tourné.

La Mercedes filait à 180 sur l'autoroute déserte Klaipeda-Vilnius. Trois cent vingt kilomètres. Il pleuvait. Chris Jones s'efforçait de regarder la route, mais Milton, à l'arrière, s'était effondré. Encore une heure pour arriver à Vilnius. Le cerveau de Malko tournait à 100 000 tours. Il disposait d'un temps très limité pour tenter de récupérer Vladimir Bazarnov. S'il était encore temps...

C'est en approchant de Vilnius qu'une idée commença à se dégager. Follement audacieuse, avec très peu de chances de réussite, mais c'était cela ou rien.

– Chris, dit-il, je crois que nous allons prendre de sacrés risques.

Le gorille haussa les épaules.

– Vous m'avez dit que le goulag était fermé. Alors, si on prend une balle, c'est les risques du métier. Tout ce que je voudrais, c'est qu'on ne m'enterre pas dans ce pays pourri.

– Si on se fait prendre, remarqua Malko, ils risquent de le rouvrir spécialement pour nous, après ce qu'on leur aura fait.

Ils arrivèrent sans encombre au *Lietuva*. Il était deux heures trente du matin.

Dès sept heures, Malko fut debout. Après avoir donné un coup de téléphone à Vitas Kudaba, il fila à l'hôtel *Draugyste*. James Pricewater dormait encore, mais il l'arracha de son lit. L'Américain fut complètement réveillé en écoutant son récit.

– Bravo pour l'enquête, conclut-il, mais c'est foutu.

– Peut-être pas, fit Malko.

L'Américain le regarda comme s'il avait pris un coup de soleil.

– Je sais bien que c'est la détente, remarqua-t-il, mais je vous vois mal aller réclamer un prisonnier au KGB, au fin fond d'une caserne soviétique.

– Le réclamer, non, protesta Malko, mais il s'agit de le récupérer. C'est possible à certaines conditions. Connaissez-vous l'emploi du temps des cinq membres de la commission du KGB?

– Ils n'en ont pas, répliqua James Pricewater. Ils se promènent entre l'ancien bâtiment du KGB, place Lénine, l'hôtel et la Cité du Nord.

– Dans quels véhicules se déplacent-ils?

– Des Volga blanches mises à leur disposition par les

Lituaniens. Equipées de téléphone. Ce sont les anciens véhicules des apparatchiks.

– Sont-ils toujours ensemble?

– Non. Le chef de la délégation, le général Sergueï Marcinkus, le grand avec les lunettes d'écaille, se rend souvent en fin d'après-midi à la Cité du Nord. Il est conduit alors par un soldat de l'armée soviétique en uniforme.

– Est-ce qu'il y a un contrôle à l'entrée de cette caserne?

L'Américain lui jeta un regard surpris.

– Je suppose, comme dans toutes les casernes. Je vois ce que vous imaginez, mais je ne peux pas vous encourager. Si vous vous faites prendre, *personne* ne pourra vous venir en aide, même pas George Bush. C'est quasiment un acte de guerre. Vous avez envie de terminer devant un peloton d'exécution ou dans une cellule?

– Non, dit Malko, mais je voudrais arracher Vladimir Bazarnov aux griffes du KGB. Pour récupérer ces documents.

– Admettons que vous réussissiez, contra l'Américain, où irez-vous ensuite? Ce sont les contrôleurs soviétiques qui gèrent l'espace aérien des trois républiques baltes. Ils font ce qu'ils veulent. Jamais les Soviétiques ne vous laisseront quitter la Lituanie. La frontière de Pologne est loin.

– J'ai une idée pour résoudre ce problème, dit Malko. Un endroit où même les Soviétiques ne pourront pas venir me chercher. Et, de toute façon, Vladimir Bazarnov n'est pas en possession de ces documents. Tant qu'on ne les a pas, on ne risque rien.

*
**

Galina Vassiliev s'éveilla, le corps moulu. La nuit avait été un cauchemar. Imbibé de vodka, Chourik, même pas repu par son viol, avait voulu se livrer à son jeu favori : exciter ses étalons. Ensuite, il l'avait prise de toutes les façons, appelant à la rescousse Macha. Celle-ci dormait à côté d'elle, tandis que Chourik Koutchoulory ronflait à même le tapis caucasien, foudroyé par le plaisir et la vodka.

Nyelé avait fui et il ne l'avait pas retenue, n'en attendant plus rien.

Galina se dressa, se disant qu'elle ne tiendrait pas plusieurs jours dans cette atmosphère. Tout le monde dormait encore dans la datcha après l'orgie de la veille. Si elle parvenait à gagner la route côtière, elle trouverait un camion ou une voiture allant sur Klaipeda où elle pourrait ensuite attraper un bus pour Vilnius. Elle ne voulait pas retourner à Kaliningrad où le mafioso ouzbek la retrouverait facilement. A Vilnius, l'Amerikanski la protégerait. Elle connaissait son nom, celui de l'hôtel et le numéro de téléphone de sa chambre...

Rapidement, elle s'habilla. Il pleuvait. Au moment où elle ouvrait la porte du bureau, Chourik se dressa, les yeux chassieux, et la vit.

– Où vas-tu, petite salope? gronda-t-il.

Galina ne répondit pas, luttant avec la serrure. Chourik s'enfermait toujours. Par prudence. Il n'avait qu'une confiance relative dans ses complices, aussi frustes et féroces que lui. Le meilleur moyen de ne pas partager avait toujours été de supprimer son partenaire... D'un bond, il se dressa, nu comme un ver à part ses bottes de vison, et Macha s'éveilla à son tour en sursaut.

Galina venait enfin d'ouvrir le battant. Devant ce fauve qui avançait sur elle, l'œil mauvais, elle paniqua et fit ce qu'elle n'aurait jamais pensé pouvoir faire. Elle décrocha une ruade précise, visant les parties génitales du mafioso. Chourik poussa un rugissement de douleur quand le bout pointu de la botte frappa ses testicules avec une violence inouïe. Un éclair lui fit presque perdre connaissance, la bile monta à sa bouche, mais il eut le réflexe en tombant lourdement sur le dos d'attraper une des chevilles de Galina.

Celle-ci voulut se dégager, mais l'Ouzbek serrait comme un bouledogue, hurlant de douleur, recroquevillé. Galina se tourna vers Macha.

– Aide-moi! Aide-moi!

Macha avait trop peur pour bouger. Peu à peu, Chourik reprit des forces et, grimaçant de douleur, se redressa sur un genou. D'une violente secousse, il fit tomber Galina à terre. Le visage crispé par la haine, il ne fit qu'un bond sur la chaise où était posé son knout! Macha poussa un cri de terreur au moment où la lanière de cuir s'abattait sur Galina. Le premier coup lui cingla le torse. Posément, Chourik ajusta le second sur le visage dont le cuir arracha une partie de la joue. Macha sentit le sang se retirer de son visage. Dans sa fureur, Chourik avait décidé de tuer Galina! Sinon, il ne l'aurait pas défigurée.

Elle tenta d'arrêter son bras d'une voix suppliante. D'un coup de coude en pleine poitrine, il l'envoya balader et reprit son massacre, frappant de toutes ses forces, jusqu'à ce qu'elle s'effondre. Très vite, on n'entendit plus que le sifflement du knout et la respiration hachée de l'Ouzbeck. Galina ne bougeait plus, sa robe en lambeaux. Les coups s'espaçaient, la colère de Chourik se calmait. Après un ultime coup, il jeta le knout et se laissa tomber sur le lit. Galina respirait encore faiblement. Macha se précipita, tentant de la soulager. Elles purent échanger quelques mots avant que Chourik ne se relève. Il se dirigea vers Galina, et vit qu'elle était toujours vivante. Tranquillement, il posa sa botte de vison sur la gorge de la jeune femme et appuya de tout son poids jusqu'à ce qu'elle ne respire plus.

***

Vitas Kudaba avait amené un énorme ballot à l'hôtel *Lietuva*. Maintenant, les uniformes qu'il s'était procuré étaient étalés sur le lit. Il y avait de tout, depuis les longues redingotes de miliciens avec décorations pendantes, jusqu'aux uniformes plus stricts de l'armée de Terre et même de la Marine soviétique. Malko choisit un uniforme de simple soldat du KGB avec les épaulettes vertes et la casquette qui allait avec. Plus un second, de capitaine de l'armée de terre.

– Ils vendent tout en ce moment, expliqua le stringer. Si vous désirez autre chose...

– Merci, dit Malko, que personne ne sache qui a acheté ces uniformes. Notre vie en dépend.

Même à Kudaba, il ne s'était pas ouvert de son projet. On ne sait jamais. Il mit les uniformes dans sa valise qu'il ferma à clef, après avoir coincé un de ses cheveux dans la serrure. D'un instant à l'autre, il s'attendait à une nouvelle tentative contre lui. Simplement pour éliminer quelqu'un au courant du véritable secret de Vladimir Bazarnov. Mais ses adversaires devaient se sentir plus tranquilles. Sauf si la disparition de l'invité de Chourik Koutchoulory leur avait semblé suspecte.

Les vêtements rangés, Malko partit avec Vitas Kudaba et lui emprunta sa voiture. Sur un plan de Vilnius, il avait repéré la caserne de la 107e division mécanisée dans Apkasy gatve. Il avait besoin d'informations supplémentaires.

*
**

Vladimir Bazarnov fut réveillé par le froid. Un air glacial pénétrait par l'ouverture grillagée rectangulaire en haut de sa cellule. Il se mit en boule, ce qui lui arracha un gémissement de douleur. Son corps n'était plus qu'une plaie. Un de ses reins avait dû être atteint par les coups, car il urinait du sang.

Il avait déjà plusieurs doigts brisés, ses dents n'étaient plus qu'un souvenir et les cartilages de son nez étaient broyés au point qu'il pouvait à peine l'effleurer sans hurler de douleur. Il avait probablement la rate éclatée. Il se dit que son supplice allait bientôt se terminer. Ils étaient maladroits et sans technique. S'il avait été au Centre, à Moscou, ils auraient peut-être réussi à le faire parler en utilisant des techniques sophistiquées modernes d'invasion de l'inconscient. Ici, ils en étaient encore à l'Age de pierre.

Au bon vieux stalinisme. On tapait sur le prisonnier jusqu'à ce qu'il ne soit plus qu'une loque, un magma de chairs sanglantes qui avoue n'importe quoi pour obtenir un peu de paix.

Depuis sa capture à Kaliningrad, les jours s'étaient écoulés sans aucun changement. A son arrivée dans le bâtiment du KGB de la caserne, il avait été amené devant le général Marcinkus qui se trouvait en compagnie de l'envoyée du Centre, Katia Boudarenko. Ils ne s'étaient pratiquement rien dit. Le général lui avait signifié une inculpation de haute trahison, entraînant automatiquement la peine de mort, à la suite d'un jugement secret.

Katia l'avait alors prévenu avec sa méchanceté habituelle que cette sentence, qu'il appellerait bientôt de tous ses vœux, ne serait exécutée que lorsqu'il serait passé aux aveux complets. C'est-à-dire, lorsqu'il aurait permis au groupe Alpha de récupérer des documents pouvant mettre en péril le gouvernement soviétique.

– Je ne suis au courant de rien, avait-il dit pour la forme, avant qu'on ne l'entraîne.

Ça avait commencé tout de suite. Piotr le Letton l'attendait en bas, au sous-sol, dans une cellule sans numéro, située entre la 13 et la 14. Celle-ci différait des autres. D'abord, elle ne comportait aucun meuble, pas même un lit. Pas même un seau hygiénique. Pas de fenêtre non plus, juste une petite ouverture grillagée très haut, hors de portée, et une aération à côté. Mais surtout, les murs et la porte étaient rembourrés d'un épais revêtement de cuir qui tapissait aussi le sol en forme de cuvette, ce qui empêchait de dormir normalement, les bords de la cuvette vous ramenant toujours au centre.

Un œilleton dans la porte permettait d'observer le comportement du prisonnier. Vladimir connaissait l'existence de ces cellules destinées à ceux qu'on voulait briser, mais n'en avait jamais vu. D'ailleurs, au Centre, on n'en utilisait plus.

A peine était-il entré que Piotr le Letton s'était rué sur lui, comme sur un punching-ball. La mise en condition... Le Letton frappait à l'aveuglette, simplement pour briser la résistance du prisonnier. Quand Vladimir s'était effondré, il avait continué; le relevant pour l'assommer encore un peu plus. Terminant à coups de pied.

Les murs de cuir étaient maculés de traînées de sang des précédents occupants.

Vladimir Bazarnov se recroquevilla encore. Il venait d'entendre la clef tourner dans la serrure à l'extérieur. Une heure plus tôt, on lui avait donné des pommes de terre et des harengs. Il mourait de soif. Cela faisait partie du traitement. Il tourna la tête et vit Piotr le Letton, en compagnie d'un second homme, en uniforme de gardien avec les épaulettes vertes. Le Letton avait un étrange outil à la main.

Il fallut à Vladimir quelques secondes pour identifier une perceuse électrique...

Déjà, on lui passait des menottes, immobilisant ses bras dans son dos. Ils avaient refermé la porte, laissant le fil passer dessous. Le Letton installa ses cent kilos sur son ventre, prit la perceuse en main, appuya la mèche sur son tibia et mit en route, pesant de tout son poids.

D'où il était, Malko surveillait parfaitement l'entrée de la Cité du Nord, caserne en haut de la côte de Apkasy gatve, avant un virage. Dans la Lada rouge de

Vitas Kudaba, personne ne le remarquait. Le mur blanc était coupé par une porte métallique grise coulissante en deux parties. A droite, un panneau indiquait « Stop » et « Interdiction de klaxonner ». Une sentinelle veillait nonchalamment, à la droite de la grille. Le cœur battant, Malko vit arriver une Volga blanche avec une antenne de téléphone sur le toit. Conduite par un soldat soviétique.

Elle ralentit à la grille, mais ne s'arrêta pas, la sentinelle lui ayant fait signe de passer. Le véhicule tourna à droite, disparaissant du champ visuel de Malko. Ce dernier mit le contact : il en avait assez vu et possédait maintenant tous les éléments pour sa tentative insensée.

CHAPITRE XVI

Les cinq hommes émergèrent à la queue leu leu de la porte latérale de l'immeuble massif du KGB donnant sur la rue Vasario. Ils eurent un bref conciliabule sur le trottoir avant de se séparer. Quatre descendirent à pied vers la place Lénine et le cinquième remonta en direction du parking où l'attendait sa voiture. Sergueï Marcinkus avait une allure bizarre avec sa couronne de cheveux et son crâne rasé très haut sur les côtés, dégageant les oreilles, à la façon des anciens apparatchiks, ce qui donnait à son crâne oblong la forme d'un pain de sucre. Il avait une démarche pataude et semblait embarrassé de son grand corps mal enveloppé d'un costume sombre et sans forme au tissu trop épais. Ses pieds et ses mains étaient si énormes que son « diplomat » (1) de cuir noir avait l'air d'un jouet.

Son regard myope derrière les grosses lunettes d'écaille balaya le parking à la recherche de son véhicule.

La Volga blanche avec téléphone y était la seule de son espèce. Il aperçut le dos de son chauffeur en train de lire la *Pravda*, comme d'habitude. Il anticipait avec plaisir le moment agréable de la journée : le thé avec le général Fedosejevas à l'issue de quoi ils téléphoneraient

(1) Attaché-case.

à Moscou sur un circuit protégé pour faire le point de leurs négociations avec les Lituaniens.

Sergueï Marcinkus n'aimait pas en cette période troublée demeurer loin de Moscou trop longtemps. Aussi accélérait-il au maximum les pourparlers pour le transfert des archives du KGB, heureusement purgées de leurs documents les plus embarrassants dès le début des événements. Il ouvrit la portière de la Volga et se laissa tomber sur le siège avec un soupir.

– On y va, Grichenko! lança-t-il.

Machinalement, il jeta un coup d'œil vers son chauffeur et réalisa alors une chose bizarre : il lisait la *Pravda* à l'envers!

Il n'eut pas le temps de chercher une explication. La portière de gauche s'ouvrit et un inconnu se laissa tomber à côté de lui. Au même moment, un capitaine de l'armée soviétique montait à l'avant à côté du chauffeur. Ce dernier se retourna et Sergueï Marcinkus réalisa que ce n'était pas Grichenko, mais un grand type aux yeux gris et au visage énergique.

Il se retourna vers l'homme qui venait de s'asseoir à côté de lui : blond, solide, des yeux dorés qui souriaient froidement. Il baissa son regard et aperçut le long canon d'un pistolet enfoncé dans son costume à la hauteur de la poche.

La Volga démarra avec douceur, sortit du parking et descendit la rue Vasario. L'homme au pistolet annonça en russe, d'une voix douce, avec un léger accent prouvant qu'il était étranger :

– Sergueï Demisovitch, vous ne risquez rien à condition de vous conformer strictement à mes ordres.

Le Soviétique tourna son regard myope vers Malko, stupéfait et fou de rage. La Volga venait de s'engager dans Gedimino Prospektas.

– Qui êtes-vous? Vous savez à qui vous avez affaire?

– Parfaitement, dit Malko. Vous êtes le général Sergueï Demisovitch Marcinkus du Cinquième Directorate du KGB, Directeur du 9e Département, en mission spéciale à Vilnius. Pour deux objectifs dont l'un est entouré du secret le plus absolu : la récupération de documents accablants pour le président de l'Union Mikhaïl Gorbatchev. Il se trouve que j'ai la même mission.

La Volga filait maintenant le long de la Néris.

– Vous êtes américain? demanda avec incrédulité le général du KGB. Mais que voulez-vous? Où allons-nous?

– A la Cité du Nord. Là où vous vous rendiez. Comme vous y allez tous les jours, la sentinelle, normalement, nous laissera passer.

– Ce n'est pas le chemin, remarqua l'officier du KGB.

Chris Jones venait de tourner à droite, s'enfonçant dans les allées du parc Kalny selon l'itinéraire qu'ils avaient repéré à l'avance. Bientôt ils ne virent plus autour d'eux que des arbres. La Volga s'arrêta sur un terre-plein où se trouvait une Lada vide, probablement celle de ramasseurs de champignons. Le gros homme à droite de Malko bougea sur son siège avec angoisse.

– Que voulez-vous? demanda-t-il. Je ne suis...

Malko l'arrêta d'un geste sec.

– Général, nous n'avons pas beaucoup de temps. Je vous offre un choix très simple. J'ai besoin d'un renseignement précis que vous pouvez me donner. Si vous acceptez, il ne vous sera fait aucun mal et vous retrouverez la liberté dans peu de temps. Si vous refusez, je vais être obligé de vous tirer une balle dans la tête. Nous sommes tous les deux des professionnels, nous respectons la vie humaine, aussi vous comprendrez que ceci n'est ni une menace en l'air ni un caprice. Vous vous trouvez simplement au mauvais endroit, au mauvais moment.

Il laissa quelques instants au général du KGB pour retrouver ses esprits. Celui-ci passa une grosse langue sur sa bouche sèche et demanda :

– Que voulez-vous savoir?

A un an de la retraite, il n'avait aucune envie de jouer les héros.

– Où se trouve détenu exactement Vladimir Bazarnov?

Sergueï Marcinkus devint livide, mais resta muet. Malko comprit qu'il fallait l'aider.

– Je sais qu'il est détenu dans le sous-sol du bâtiment de votre administration à la caserne de la 107ᵉ Division mécanisée, dit-il, mais j'ai besoin de plus de détails...

Cette fois, le général s'effondra. Cette information était normalement connue de trois ou quatre personnes seulement, même les autres membres de la Commission l'ignoraient. Or, cet inconnu semblait parfaitement au courant. Cela le déstabilisa encore plus. Ce qui acheva de lui mettre le cerveau en compote, c'est le bruit sec d'un chien de pistolet qu'on armait. Pas un mot n'avait été prononcé, mais il savait que le sablier coulait...

Il se décida d'un seul élan.

– Cet homme se trouve au premier sous-sol, dit-il d'une voix blanche, dans une cellule spéciale sans numéro.

– Comment accède-t-on à ces cellules?

– Par le rez-de-chaussée, une porte avec l'inscription « interdit sauf au service ». Elle se trouve au fond du couloir desservant les bureaux de la Rezidenzia du général Fedosejevas.

– Cette porte est fermée à clef?

– Non. Il y a une serrure à code.

– Quel est le code?

Il n'avait pas élevé la voix. Mais là, il sentit que cela grippait. La résistance de Sergueï Marcinkus ne dura pas longtemps.

– Le code change toutes les semaines. En ce moment, c'est 1917.

– Ensuite?

– Vous descendez un escalier qui débouche sur le couloir menant aux cellules. A droite se trouve la permanence des gardiens. Ce sont eux qui possèdent les clefs de toutes les cellules.

– Ils ont un moyen de donner l'alerte?

– Le standard téléphonique.

– Combien sont-ils?

– Deux ou trois selon les heures. Il peut aussi y avoir un détenu qui fait le ménage.

– Leur bureau est fermé à clef?

– Non, bien sûr.

Il se tut. Malko avait mentalement noté toutes ces précieuses indications.

– *Karacho*, dit-il avec un sourire froid. Maintenant, nous allons gagner la caserne. Pour vous avoir déjà observé, je sais que la sentinelle n'arrête pas votre voiture. Je pense que ce sera le cas aujourd'hui. Dans le cas contraire, j'attends de vous une attitude normale. Vous lui donnez votre identité que vous justifiez si besoin est.

« Si vous tentiez de l'alerter, je vous abattrai immédiatement, bien entendu. Ce pistolet, comme vous pouvez le voir, possède un silencieux incorporé et on croira simplement à un malaise...

– Mais ensuite? bredouilla le général.

– Ensuite, dit Malko, nous rendrons visite à Vladimir Bazarnov. Et votre rôle se terminera. Allons-y, lança-t-il en anglais à l'intention de Chris Jones.

Le gorille fit demi-tour et, quelques minutes plus tard, ils étaient de nouveau en ville. En dépit de son entraînement, Chris Jones avait les mains moites et le pouls à 150. Pénétrer dans une caserne soviétique, pour un agent de la CIA, c'était un exploit dont on parlerait longtemps à Langley.

S'il en ressortait...

Dans le rétroviseur, il regarda le gros homme au visage blafard qui essuyait ses lunettes. Ils allaient partager le même sort. Arrivé dans Arsenalo gatve, il tourna à gauche, suivant la rivière. Dans dix minutes, ils seraient rendus. Un silence de mort régnait dans la

Volga. Il fut rompu par le téléphone qui fit sursauter les quatre hommes.

– Répondez, intima Malko à Sergueï Marcinkus, et ne dites pas n'importe quoi...

*
**

Couché dans ses excréments, Vladimir Bazarnov souffrait le martyre. Le trou que la perceuse avait foré dans son tibia, la veille, lui causait des douleurs inimaginables. Il n'avait même pas pu manger, recroquevillé sur le sol. Juste boire un peu d'eau nauséabonde. Depuis quelques heures, il sentait sa résistance diminuer. Il priait pour mourir. Impossible de se suicider dans cette cellule démoniaque. Il avait en vain essayé de se jeter contre les murs. D'abord sa jambe mutilée le soutenait à peine et ensuite, le cuir rembourré le renvoyait comme un punching-ball...

Il savait que ses bourreaux étaient pressés, harcelés par le Centre. Chaque minute augmentait le risque de diffusion des bandes sonores dévastatrices. Seule, une poignée de responsables savait de quoi il retournait. Et cela conditionnait bien des comportements. Les Américains n'étaient pas les seuls à vouloir mettre la main sur les conversations de Mikhaïl Gorbatchev... Boris Eltsine aurait tué sa mère pour les obtenir.

C'était une lutte féroce, dont il était l'arbitre, même s'il devait mourir.

Le bruit de la clef qui tournait dans la serrure lui arracha un hoquet d'angoisse. Du coin de l'œil, il vit l'énorme silhouette de Piotr le Letton entrer, tenant sa machine infernale. Cette fois, le Letton était seul. Etant donné l'état de Vladimir, il n'avait plus besoin de quelqu'un pour le tenir...

La porte se referma derrière lui. En ouvrier consciencieux, le Letton fit tourner la perceuse quelques secondes. Son grondement caractéristique provoqua une nausée chez le prisonnier. Un haut-le-cœur qui se transforma en une panique viscérale, abominable, qui le liquéfiait. Il n'avait pas le courage de sentir à nouveau la perceuse vriller ses os. Tout son corps en tremblait d'horreur. C'était trop. Tous les matins, on lui faisait une piqûre avec une dose massive de vitamine A, des oligo-éléments et des amphétamines pour qu'il sente mieux la douleur.

Piotr le Letton se pencha vers lui et le retourna. Dans son minuscule cerveau, il y avait comme une lueur de pitié. Il avait trop souffert lui-même dans les camps pour ne pas éprouver quelque chose.

– Tu devrais parler, petit père, conseilla-t-il.

Confusément, il se dit qu'il bénéficierait d'une prime pour interrogatoire réussi.

Vladimir Bazarnov leva la tête et réussit à se mettre sur son séant, cherchant son regard.

– Tu crois?

Piotr le Letton hocha la tête affirmativement. Il tenait la lourde perceuse comme un pistolet, à l'horizontale, l'index posé sur le bouton de mise en marche. Il ne vit pas venir le geste de Vladimir Bazarnov, tant il se sentait en sécurité en face de cette loque humaine. Celui-ci allongea la main droite, enserrant la crosse de la perceuse et pesa de toutes ses forces. La mèche commença à tourner. Le Letton n'eut pas le temps de réagir. Les traits déformés par l'appréhension, luttant de toutes ses forces contre l'instinct de conservation, Vladimir Bazarnov vint se jeter sur la perceuse!

La mèche s'enfonça un peu au-dessus de son nombril et il continua, malgré la douleur atroce, à peser dessus, sa main droite crispée autour de la crosse. Lorsque Piotr le Letton parvint enfin à arrêter l'engin, la mèche était enfoncée de quinze centimètres dans le ventre du prisonnier... Quand il la retira, un flot de sang se mit à s'écouler de la blessure. Affolé, Piotr essaya d'arrêter l'hémorragie avec son mouchoir. Déjà, le colonel du KGB avait les yeux vitreux... Le Letton se redressa, le cerveau en capilotade. Il entendait encore le général

Marcinkus et Katia lui dire qu'à aucun prix il ne fallait tuer le prisonnier...

C'est lui qu'ils allaient fusiller.

Il demeura immobile quelques secondes. Regardant le sang s'écouler de la vilaine blessure. Il avait vu assez de gens mourir dans les camps pour comprendre que celui-là n'en avait pas pour longtemps... Il pensa fugitivement appeler à l'aide, mais se dit que ce serait peine perdue. Vladimir Bazarnov, dans un spasme de douleur, se retourna sur le ventre. Recroquevillé, gémissant. Piotr le Letton se précipita sur la porte et enfonça la clef dans la serrure. Entendant la porte s'ouvrir, un gardien s'approcha. A cause du mauvais éclairage, il ne remarqua pas les traits décomposés du Letton. Quant au prisonnier, après ces séances « spéciales » il était généralement évanoui.

– Qu'est-ce que tu lui as fait aujourd'hui? lança-t-il. Il gueulait tellement qu'on ne pouvait plus se parler.

Le Letton marmonna une vague réponse et suivit le gardien dans leur bureau, lui rendant la perceuse que l'autre rangea soigneusement dans un placard, sans même en ôter les traces de sang.

Piotr le Letton trépignait. Il grimpa l'escalier quatre à quatre, longea le couloir pour sortir du bâtiment et se dirigea à grandes enjambées vers le portail de la caserne.

*
**

– *Da! Da! Karacho.*

Le général Marcinkus répondait par onomatopées à son interlocuteur invisible. Lorsqu'il raccrocha, son front était en sueur. Malko l'interrogea du regard.

– Qui était-ce?

– Le général Fedosejevas. Il a appelé à la Commission et il se demandait ce que je faisais. Il m'attend.

– Pour quoi faire?

– Une réunion sur le cas « spécial ».

– Il ne s'est pas inquiété?

– Non.

Son cerveau refusait de fonctionner en pensant à ce qui allait se passer dans les heures suivantes. Ils tournèrent dans Apkasy gatve. L'avenue montait en pente douce pendant environ trois cents mètres. Au bout, juste avant le virage, se trouvait la grille de la caserne de la Division 107. Un silence de plomb régnait dans la voiture. Chris Jones se retourna, quêtant un encouragement de Malko. Milton Brabeck avait l'impression d'avoir un troupeau de fourmis en train de lui dévorer l'estomac.

– *It's gonna be all right*, assura Malko.

La grille n'était plus qu'à quelques mètres. La sentinelle, Kalachnikov à la main, fit un pas en avant pour regarder le véhicule qui se présentait à l'entrée.

CHAPITRE XVII

Chris Jones, intimidé, au lieu de continuer, freina et pila, juste à côté du soldat soviétique. Ce dernier, un jeune aux cheveux longs, sembla aussi étonné que lui. Encore plus quand Sergueï Marcinkus sortit de sa poche son livret rouge du KGB et le brandit en direction de la sentinelle... Celle-ci n'en demandait pas tant. Il salua, et d'un signe vague, il fit signe de passer puis retourna s'appuyer au mur.

En face d'eux se dressait un T.34 de la dernière guerre, sur un socle de pierre, emblème du régiment. Il y avait peu d'animation. Chris se retourna, de l'affolement plein les yeux.

– Où on va?

Malko traduisit.

– A droite, le bâtiment bas, répondit le général du KGB.

Il semblait aussi secoué que ses trois kidnappeurs. Milton s'essuya le front. Il avait les mains crispées sur une des Kalachnikovs, les muscles bandés à lui faire mal. Avec l'impression de débarquer sur la lune. Un camion démarra dans la cour avec un panache de fumée noire. Une vingtaine de bidasses manœuvraient un peu plus loin. Un officier, avec une casquette à parements bleus, sortit d'un autre bâtiment et monta dans une grosse Jeep.

Spectacle banal, mais c'étaient des *Russes*! Dans ses

rêves les plus fous, Chris Jones n'aurait jamais pu imaginer une chose pareille. Il stoppa devant le bâtiment du KGB qui ne se distinguait en aucune façon de ses voisins. C'était le moment critique. Malko poussa le général Marcinkus du canon de son pistolet.

– *Davai paidiom*, j'ai encore besoin de vous. Chris, restez au volant, Milton venez avec moi.

– Si on me demande quelque chose? interrogea Chris affolé.

– Vous ne répondez pas, vous démarrez et faites le tour de la cour. N'arrêtez pas le moteur. Mettez-vous au téléphone, on vous laissera tranquille...

Le général Marcinkus poussa la porte donnant sur le couloir. On y voyait à peine tant les ampoules étaient faibles... Le couloir était long d'une vingtaine de mètres. Plusieurs portes étaient ouvertes, laissant apercevoir des gens au téléphone ou des secrétaires en train de taper. Dans une salle, un officier interrogeait un soldat.

Arrivé au bout du couloir, Malko souffla au général :

– Ouvrez la porte.

Le général Marcinkus s'exécuta, et Malko aperçut devant lui un escalier de pierre très étroit. Il y poussa son prisonnier. A peine ce dernier arrivait-il au niveau inférieur qu'un gardien apparut, nu-tête, alerté par le bruit. Reconnaissant le général du KGB, il esquissa un salut et rentra dans son bureau. Malko et Milton Brabeck déboulèrent derrière l'officier soviétique. Il n'y avait que deux gardiens dans la salle de garde. Celui qu'ils venaient de voir et un second, installé devant le standard téléphonique en train de lire.

D'un coup d'épaule, Malko écarta le général du KGB et, sortant son pistolet de sa poche, le braqua sur les deux hommes.

– Ne bougez pas! intima-t-il en russe.

Ils le fixèrent, ébahis. La vue de Milton Brabeck avec sa Kalachnikov acheva de les liquéfier. Celui du standard allongea le bras vers ses fiches, mais n'acheva pas son geste, stoppé par un regard de Malko qui lança aussitôt :

– Venez avec moi, tous les deux. Ouvrez-moi la cellule spéciale. Ne discutez pas ou je vous abats.

C'était une menace vaine, car la pièce était éclairée par un soupirail donnant sur la cour. Un coup de feu aurait mis la caserne en ébullition. Mais les deux gardiens n'étaient pas de l'étoffe dont on fait les héros. Ils se levèrent docilement. Celui du standard demanda plaintivement :

– Qui va répondre?

– Ne vous occupez pas de ça, coupa Malko.

Les cinq hommes s'engagèrent dans le couloir qui courait sur toute la longueur du bâtiment, éclairé par des ampoules jaunâtres grillagées. Cela sentait l'urine, l'humidité et le chou rance. Sur sa droite, Malko aperçut une salle de douches rudimentaire d'une saleté repoussante. Toutes les portes des cellules étaient fermées, un œilleton permettant de voir ce qui se passait à l'intérieur.

Ils passèrent devant la cellule n° 14, et le gardien s'arrêta en face de la porte suivante qui ne portait pas de numéro. Il se mit à farfouiller avec sa clef, ne trouvant pas la serrure tant ses mains tremblaient. Dans le silence du couloir, on n'entendait plus que la respiration oppressée du général et les cliquetis métalliques.

Enfin, le pêne claqua.

– Reculez, lança Malko aux trois Soviétiques, les mains sur la tête.

Ils obéirent, tenus en respect par la Kalach de Milton Brabeck qui avait l'impression de tourner un film : lui, agent de la CIA, en train de faire un hold-up dans une caserne soviétique! On en parlerait pendant trois générations à Langley...

Malko ouvrit la porte et l'odeur nauséabonde qui s'échappait de la cellule manqua le faire vomir. Un mélange d'excréments, de sang, de crasse, d'ammoniaque. Une horreur. Il crut que son cœur s'arrêtait. Vladimir Bazarnov était couché en boule dans la cellule aux murs de cuir, recroquevillé sur lui-même et une large tache de sang s'étalait autour de lui.

– Vladimir!

Le Soviétique ne répondit pas.

Malko s'accroupit et le retourna avec précautions. Il vit alors la blessure où le sang se coagulait déjà. Posant la main sur son cœur, il sentit quelques faibles battements. Mais l'homme était complètement inconscient. Il fallait agir vite. Le prenant sous les aisselles, il le tira hors de la cellule à grand-peine et cria à Milton Brabeck :

– Vite, faites-les entrer tous les trois là-dedans!

Milton n'eut pas à user de persuasion musclée : les trois hommes avaient tellement peur qu'ils se ruèrent d'eux-mêmes dans la cellule spéciale, se bousculant pour y entrer le premier... Malko n'eut qu'à refermer la porte et donner un tour de clef.

– Qu'est-ce qu'on fait? demanda Milton.

– Prenez-le. Faites attention il est grièvement blessé.

Le gorille mit sa Kalach à l'épaule, souleva le blessé presque sans effort et suivit Malko. Le standard sonnait. Malko émergea le premier dans le couloir du rez-de-chaussée. Il y avait encore quelques mètres délicats à parcourir... A mi-chemin, ils se heurtèrent à un agent du KGB en bras de chemise qui les regarda, stupéfait.

– Qu'est-ce que...? commença-t-il.

– Mêle-toi de ce qui te regarde! lança Malko en russe d'un ton sans réplique.

L'autre rentra dans son bureau sans rien dire... Trente secondes plus tard, ils émergèrent dehors, juste en face de la Volga. Milton Brabeck plongea à l'arrière avec son colis humain et Malko prit place à côté de Chris.

– On file! fit-il.

Le portail était ouvert, personne n'avait rien remarqué. Soudain, d'une fenêtre au deuxième étage, une voix furieuse les interpella. Malko tourna la tête et vit un homme nu-tête, en uniforme de général, qui les apostrophait.

– Où est Sergueï Demisovitch?

Chris se contenta d'appuyer sur l'accélérateur, contournant le socle du T.34. La sentinelle leva la tête vers le général qui vociférait à la fenêtre et ne prêta absolument aucune attention à la voiture blanche qui ressortait du casernement... Beaucoup d'officiers vivaient là avec leur famille et il n'allait pas contrôler tous les véhicules qui sortaient.

La Volga dévalait Apkasy gatve, en direction du centre. L'état de Vladimir Bazarnov modifiait les plans de Malko. Il avait prévu de se réfugier au Parlement, mais avec un mourant, c'était une solution dépassée.

Avant tout, il fallait trouver un médecin.

Il prit le téléphone, et composa le numéro de Vitas Kudaba. Il avait recommandé au stringer de ne pas bouger de chez lui.

Même si sa ligne était sur écoute, ses adversaires n'auraient pas le temps de réagir.

– Je vous prends en bas de chez vous dans cinq minutes, annonça Malko, sans prononcer aucun nom.

– D'accord, répondit aussitôt le stringer.

Il fallait retraverser une partie de Vilnius. Cela leur prit un quart d'heure. Dans très peu de temps, ils allaient avoir tout ce que le KGB comptait d'agents à Vilnius à leurs trousses. Bien sûr, ce n'était pas comme avant, ils ne pouvaient plus traquer officiellement Malko, établir des barrages ou faire appel à la milice. Mais le fait que l'action se soit passée dans une caserne soviétique leur permettait de mettre en branle la police lituanienne.

Vitas Kudaba attendait au bord du trottoir de Skroddy gatve au pied de son immeuble collectif. Son visage se décomposa en voyant l'homme inanimé tassé à l'arrière.

– Cet homme est mourant, dit Malko, il me faut un médecin d'urgence. Vous en connaissez un sûr?

Le Lituanien ne mit que quelques secondes à réagir.

– Il y en a un à Lazdynai, ce n'est pas loin. J'espère qu'il est chez lui. C'est un chirurgien qui a souvent soigné les victimes du KGB.

Ils roulèrent dix minutes environ. Milton Brabeck maintenait en permanence le pouce sur la veine du poignet de Vladimir Bazarnov.

– Il va y passer! avertit-il. Il n'a presque plus de pouls.

Ils s'arrêtèrent enfin devant une villa d'Architekty gatve, dans un quartier tranquille et bucolique, à l'ouest de Vilnius. Vitas Kudaba sauta de la voiture et s'engouffra dans la maison. Il en ressortit moins de trois minutes plus tard, accompagné d'un homme de haute stature, aux cheveux gris. Ce dernier salua Malko d'un bref signe de tête et se pencha sur le blessé. Il adressa quelques mots en lituanien à Kudaba qui traduisit pour Malko.

– Il dit qu'il est très mal, il ne sait pas s'il peut faire quelque chose.

Avec l'aide des deux gorilles, ils transportèrent Vladimir Bazarnov dans son cabinet où on l'étendit sur une table d'intervention. Ses vêtements, sur le devant, avaient pris une vilaine teinte marron et étaient raides. A première vue, il semblait mort.

Malko se tourna vers Chris Jones.

– Prenez la voiture, allez vous garer plus loin.

A aucun prix, il ne fallait qu'on sache où il se trouvait... Le médecin était en train de découper la chemise et le pantalon du blessé. Ce dernier ne bougea même pas lorsqu'on examina l'horrible plaie. Du sang s'en écoulait encore faiblement. Le chirurgien leva la tête :

– Je ne peux pas faire grand-chose, cet homme a de multiples hémorragies internes. Il faudrait l'opérer, cela ne peut être fait qu'à l'hôpital et il a perdu tellement de sang qu'il est déjà probablement trop tard.

Malko regardait la poitrine de Vladimir Bazarnov qui se soulevait imperceptiblement. Qu'était-il arrivé? Pourquoi ses bourreaux l'avaient-ils laissé mourir? Cela ne pouvait avoir qu'une signification : il avait enfin parlé et il ne leur était plus utile. Il avait bien peur de ne pas parvenir à découvrir la vérité.

– Docteur, demanda-t-il en russe, pouvez-vous lui faire reprendre connaissance?

– Je peux essayer, dit le praticien, en train de lui enfoncer dans le bras une perfusion de sérum. Mais ce ne sera pas pour longtemps. Vous ne voulez pas que j'appelle l'hôpital?

– Ce serait la solution la plus dangereuse pour lui, affirma Malko. Les Soviétiques viendraient l'y achever.

Le médecin ne discuta pas. Se préparant à lui faire une injection d'un puissant tonicardiaque. Penché sur lui, Malko observait anxieusement Vladimir Bazarnov. Souhaitant qu'il n'emporte pas son secret dans la tombe... Au bout d'une minute environ, quelques couleurs revinrent sur son visage puis il émit un gémissement avec une grimace de douleur. Portant la main à son ventre, il trouva un pansement et pour la première fois, ouvrit les yeux. Son regard était trouble, déjà vitreux.

– Vladimir?

Malko vit l'effort que faisait le Soviétique, privé de ses lunettes, pour le reconnaître. Il essaya de parler, mais aucun son ne sortit de sa bouche. Juste un gémissement filé. Le médecin observait son pouls, l'air soucieux.

– Ça ne fait pas grand-chose, reconnut-il. Il est trop faible.

Malko se pencha sur le visage grisâtre.

– Vladimir, c'est moi, Malko Linge. Dites-moi ce qui est arrivé. Vous avez parlé?

Très lentement, le visage se tourna vers lui et les pupilles se dilatèrent un peu. Vladimir Bazarnov secoua la tête et un premier mot franchit ses lèvres :

– *Niet.*

Malko crut recevoir un coup dans l'estomac. Il était encore dans la course. Mais comment arracher son secret au mourant?

– On va vous transporter à l'hôpital pour vous opérer, dit-il. Que vous ont-ils fait?

– Moi... c'est moi, balbutia le Soviétique. Je les ai baisés, ces salauds... La perceuse... Ils vont s'entre-tuer.

Malko insista.

– Vladimir, dites-moi où sont les documents, avec qui je peux traiter?

Un silence interminable, coupé par la respiration sifflante du mourant. Le médecin s'interposa.

– Il faut le soigner, je ne peux pas vous laisser torturer cet homme. J'appelle l'hôpital.

Vladimir Bazarnov fixait toujours Malko avec un mélange de sourire et de rictus. Il toussa, ce qui secoua tout son corps et fit jaillir un peu de sang de son ventre. Lorsqu'il reprit son souffle, il fit d'une voix imperceptible :

– Pas hôpital, crever.

– Qui vous remplace? Votre frère?

– Non. Allez... Moscou. Valeri Nicolaievitch Vlassov.

– Qui est-ce?

– ... Ami sûr...

– Il va me donner les documents?

– *Da*, mais il faut lui donner billet Bolchoï... Chez Dimitri. Sinon... dire. Il...

Malko tendait l'oreille pour ne perdre aucun mot de Vladimir qui parlait dans un immense effort. Il avait du mal à interpréter le message.

– Quel billet? demanda-t-il, tentant de masquer sa panique.

C'était trop bête d'échouer à la dernière seconde. Mais que peut-on obtenir d'un homme qui va mourir? Soudain, Vladimir redressa la tête imperceptiblement :

– Billet Bolchoï! répéta-t-il.

Sa tête retomba en arrière. Il eut un hoquet, sa main se crispa sur son ventre et à une imperceptible immobilité nouvelle, Malko comprit qu'il venait de cesser de vivre. Le médecin le tira par la manche.

– C'est dégoûtant, il fallait le soigner.

Malko haussa les épaules.

– Vous savez aussi bien que moi qu'il était perdu.

– Je dois appeler la police.

Malko lui fit face gravement.

– Docteur, vous venez de rendre un service immense aux ennemis du KGB en me permettant de parler à cet homme. Je ne peux pas tout vous révéler, mais il est impérieux que vous n'informiez personne de notre visite. Nous allons repartir en emmenant le corps.

– Je n'ai pas de raison d'accepter cela.

– Si certaines personnes apprennent que vous avez été en contact avec cet homme, vous serez abattu, vous et votre famille. Tous ceux qui l'ont approché ont subi le même sort... Je ne sais pas votre nom et je ne veux pas le savoir. Oubliez ce qui vient de se passer et tout ira bien pour vous.

Vitas Kudaba, d'une voix pressante, répéta en lituanien et le médecin finit par se laisser convaincre. Milton Brabeck enveloppa le corps dans une couverture et ils ressortirent. Heureusement, la nuit était tombée.

Malko essaya de ne pas penser que toutes les forces du KGB officiel étaient maintenant lâchées à ses trousses. La partie la plus dangereuse de sa mission commençait.

CHAPITRE XVIII

Que faire du corps de Vladimir Bazarnov? C'était le problème immédiat que Malko avait à résoudre, tandis qu'ils roulaient dans les rues sombres de Vilnius. Il réalisa très vite que la meilleure solution était de l'abandonner dans la Volga, après avoir supprimé toutes traces de soins médicaux. De cette façon, Katia et ses amis pouvaient croire qu'il était déjà mort lorsque Malko l'avait arraché à sa cellule. Les gardiens témoigneraient de son état.

– Vitas, dit-il, vous allez nous déposer dans Zygimanty gatve. Pouvez-vous ensuite aller abandonner cette voiture dans le parc Kalny et rentrer chez vous en bus pour brouiller les pistes?

– Bien sûr, approuva le stringer.

Dix minutes plus tard, Malko et les deux gorilles, qui avaient récupéré leurs affaires civiles dans le coffre, partaient à pied vers le *Lietuva*.

Ils ne pénétrèrent même pas dans l'hôtel, montant immédiatement dans la Mercedes blindée. Direction le *Draugyste*. James Pricewater se trouvait dans la salle à manger, en compagnie de plusieurs de ses collaborateurs. Il vint à la rencontre de Malko, trahissant son impatience de le revoir.

– Vous avez réussi? demanda-t-il à voix basse.

– Presque.

L'Américain écouta le récit de Malko, suspendu à ses lèvres.

– Il faut impérativement situer Valeri Nicolaievitch Vlassov, dit Malko. Tout ce que je sais, c'est qu'il est à Moscou. Moi, il faut que je retourne à Kaliningrad éclaircir cette histoire de billet du Bolchoï avec Dimitri Bazarnov. Il faudrait que, dès demain matin, vous preniez l'avion pour Moscou vous occuper de ce Vlassov avec l'aide de la station. Pas question de téléphoner ou de faxer.

– C'est un membre du KGB?

– Je l'ignore, avoua Malko.

– Vous allez à Kaliningrad tout de suite?

– Non, je ne veux pas attirer l'attention en franchissant la frontière de nuit. Nous partirons demain matin très tôt. A propos, il faudrait aussi que vous rameniez de Moscou 200 000 dollars. Pour récupérer Galina.

– Pas de problème, assura l'Américain. Ils ont ce qu'il faut là-bas. Vous aurez juste à me donner un reçu.

– Un bon conseil, ajouta Malko, ne voyagez pas seul. Le groupe Alpha sait que j'ai enlevé Vladimir et que vous et moi travaillons ensemble. Il pourrait envisager de vous interroger aussi.

– Je vais emmener deux de mes hommes, suggéra James Pricewater. En plus, j'ai un passeport diplomatique, cela ferait désordre...

– Nous ne sommes à l'abri de rien, répéta Malko. C'est une affaire d'Etat.

Il quitta le *Draugyste*, suivi comme par son ombre par Milton et Chris. Ils étaient tous les trois dans le même bateau : aucun ne possédait de statut diplomatique. Le KGB n'hésiterait pas à les kidnapper s'il croyait pouvoir les faire parler.

A peine avait-il pénétré dans le hall du *Lietúva* qu'une femme vint à sa rencontre.

Katia Boudarenko, drapée dans un long manteau sombre, arborait sa tête des mauvais jours. Ses superbes yeux verts avaient la dureté du cobalt. Derrière, au milieu de la faune habituelle gluée à la télé, Malko repéra une demi-douzaine de malabars suspects...

– Il faut que je vous parle, annonça-t-elle sèchement.

– Voulez-vous me retrouver au restaurant du 22e, suggéra Malko? Le temps de passer par ma chambre. A propos, n'ayez pas de mauvaises pensées, je ne serai pas seul, mes amis ne me quittent pas.

Elle le regarda s'éloigner vers l'ascenseur, blême de rage.

– Où est Vladimir Bazarnov?

Katia Boudarenko avait dû crier pour dominer le bruit de l'orchestre.

Malko prit l'air grave.

– Katia, je m'attendais à ce que vous me posiez cette question. Eh bien, je vais vous le dire.

Il s'arrêta quelques secondes, la dévisageant, jouissant du spectacle de son désarroi.

– Je l'ai enlevé, continua-t-il, malheureusement il était mort. Je ne m'en suis aperçu que plus tard. Vous pourrez le retrouver en sillonnant les allées du parc Kalny. Dans la Volga du général Marcinkus.

Les coins de la bouche de Katia s'abaissèrent en une grimace haineuse.

– Vous vous moquez de moi! Vous savez parfaitement faire la différence entre un cadavre et quelqu'un qui est encore vivant. Et vous n'auriez pas emmené un mort.

– A vrai dire, corrigea Malko, il est mort quelques minutes après que nous l'avons eu récupéré. Sans avoir repris connaissance. Je crois que votre bourreau a eu la main lourde.

Katia écumait de rage.

– Nous ne l'avons pas tué, finit-elle par avouer.

J'ignore ce qui s'est passé, son interrogateur a disparu.

– Votre « chauffeur »?

Elle ne répondit pas, mais il fut certain d'avoir frappé juste. Ainsi, il comprenait mieux. C'était un accident. Il était arrivé à temps, et, ironie du sort, c'était à lui que Vladimir avait révélé son secret. Il regarda Katia. En colère, elle était encore plus belle, avec son visage slave très découpé, ses yeux immenses qui lui mangeaient le visage, avec cette expression à la fois cruelle et trouble. Il sentait confusément qu'elle l'admirait pour ce qu'il avait réussi. Mais ils étaient chacun d'un côté de la barrière.

– Vous avez libéré notre ami, le général Marcinkus? demanda Malko.

Katia cracha avec mépris :

– Nous lui avons accordé la permission de se suicider. C'est tout ce qu'il méritait. Il aurait dû refuser de vous aider, même au risque de sa vie. Ce n'était qu'un bureaucrate sans envergure. Il a déshonoré notre organisation.

– Katia, dit Malko, ce n'est plus la peine de continuer à nous opposer. Vladimir Bazarnov est mort. Il ne nous a pas parlé... Le dossier est clos.

– Vous allez quitter Vilnius?

Sa voix avait claqué comme un fouet. Visiblement, elle continuait à ne pas croire un mot de ce que Malko lui avait dit.

– Certainement, dit Malko. Mais avant, je vais retourner à Kaliningrad apprendre à Dimitri Bazarnov ce qui est arrivé à son frère.

A quoi bon lui mentir? Elle allait très probablement le faire suivre.

Une lueur surprise passa dans ses yeux.

– Vous aviez retrouvé son frère?

– Oui. Vous ne le saviez pas?

– Non.

Là, elle semblait sincère. Le silence retomba entre eux

et Chris et Milton se remirent à manger. Bien que ne comprenant pas un traître mot de cette conversation en russe, ils ne voulaient pas en perdre une miette... Brusquement, Katia se leva, sans avoir touché à son caviar. Ses joues s'étaient creusées, ses prunelles avaient une expression fixe, son menton tremblait légèrement.

– *Dosvidanaya*, fit-elle d'une voix blanche.

Et elle se noya dans la foule du restaurant et disparut. Malko n'arrivait pas à croire qu'il en avait fini avec elle.

La Mercedes blindée cahotait lourdement sur la route défoncée par les innombrables camions militaires. Ils avaient mis plus de trois heures depuis Vilnius, étant partis à sept heures du matin du *Lietuva*. Aucun incident de parcours. Katia et ses amis devaient avoir récupéré le corps de Vladimir Bazarnov, ce qui les rassurait au moins sur un point.

Malko dut patienter à un passage à niveau, tandis que défilait un interminable train de marchandises, pratiquement au pas.

Enfin, ce fut Moskowskaia Prospeckt et les hideux clapiers du centre ville. La Volga de Vladimir Bazarnov était toujours garée au même endroit en face de son immeuble. Laissant les deux gorilles dans la Mercedes, Malko monta seul.

En arrivant devant la porte de Dimitri Bazarnov, Malko comprit pourquoi Katia avait réagi avec indifférence lorsqu'il lui avait annoncé son déplacement à Kaliningrad. Des scellés étaient posés sur la porte, interdisant l'entrée. Deux ficelles reliées à des cachets de cire rouges larges comme une pièce de vingt kopecks. Il examina la cire avec soin et réussit à lire : *Procureur de la République de Russie*... Ainsi, Dimitri Bazarnov avait été arrêté.

Ce qui prouvait que le KGB avait encore le bras long...

Malko redescendit chercher Chris, le spécialiste des serrures grâce à sa petite trousse qui ne le quittait jamais. Chris mit vingt secondes à ouvrir la serrure et ils pénétrèrent dans l'appartement, refermant la porte derrière eux. Il y régnait un désordre indescriptible! Toutes les pièces avaient été fouillées, les livres jetés à terre, des meubles renversés, des papiers répandus partout, les tableaux dépendus gisaient à terre, verre brisé...

Malko traversa l'appartement, le cœur serré. Dans la chambre, c'était encore pire! Le lit éventré, les tiroirs d'une commode broyés, et même le carrelage arraché dans la salle de bains. Tous les vêtements d'une penderie étaient à terre, piétinés. Rien n'avait été épargné. Malko parcourut la pièce du regard, découragé, et s'arrêta soudain au-dessus de la commode où se trouvait une glace ancienne. Plusieurs papiers étaient glissés sur son pourtour. Des invitations, une photo, une carte de vœux et un bout de papier grisâtre.

Malko s'en approcha et le prit : c'était un billet pour le Bolchoï du 14 juin 1991, au quatrième balcon.

Son cœur battit plus vite. Ce ne pouvait qu'être celui dont Vladimir Bazarnov lui avait parlé, celui qu'il devait montrer à son correspondant... Evidemment, les enquêteurs du KGB n'avaient pas prêté attention à un vieux billet placé en évidence, souvenir d'une excellente soirée.

Ignorant évidemment qu'à la date citée, Dimitri Bazarnov se trouvait en mer sur l'*Arkhangelsk*...

Le billet en poche, Malko resssortit, laissant les scellés arrachés. Cinq minutes plus tard, ils roulaient vers la sortie de la ville : direction Vilnius. Il avait enfin le dernier morceau du puzzle qui lui manquait. Il ne restait plus qu'à situer le mystérieux correspondant de Vladimir Bazarnov. Cela, c'était l'affaire de la station de la CIA à Moscou.

James Pricewater ne pouvait pas revenir avant le lendemain. Il n'avait plus qu'à prendre son mal en patience... Ils atteignirent Vilnius quatre heures plus tard, abrutis de secousses et morts de faim. La campagne soviétique n'était pas vraiment hospitalière aux voyageurs.

*
**

Le téléphone le réveilla le lendemain à huit heures. Il mit un certain temps à démêler les explications embrouillées de la réceptionniste. Une femme – une certaine Macha – le réclamait, insistant pour qu'on le prévienne.

Macha... C'était la femme qu'on lui avait présentée chez Chourik Koutchoulory. Il s'habilla et descendit.

Macha portait la même robe noire entièrement boutonnée, moulante comme un gant, et la même natte de cheveux noirs. Visiblement, elle avait pleuré, ses traits étaient creusés et elle semblait dans tous ses états. Malko distribua quelques roubles et l'emmena prendre un petit déjeuner. Elle lui apportait sûrement un message de Galina.

– Galina est morte, annonça-t-elle dès qu'elle fut assise.

Malko eut l'impression de recevoir un coup de poing dans l'estomac. Il était pourtant sûr que le mafioso ouzbek ne risquerait pas 200 000 dollars pour une vengeance. Macha lui apprit ce qui s'était passé. Un meurtre abominable.

– Quelqu'un sait-il que vous êtes venue me voir?

– Oh non, bien sûr, protesta Macha d'un air effrayé.

– Chourik?

– Surtout pas.

Malko ne pouvait pas rayer d'un trait Galina. Il y a des comptes qui doivent se régler. Même s'il ne prévenait pas la CIA de ses intentions...

– Je vais vous prendre une chambre ici, dit-il à Macha. Ensuite, nous verrons.

*
**

La communication entre Vilnius et Klaipeda n'était pas trop mauvaise mais Chourik Koutchoulory hurlait dans l'appareil comme s'il n'avait jamais téléphoné de sa vie.

– J'ai votre argent, annonça Malko. Galina va bien ?

– Très bien, affirma le mafioso ouzbek. Vous me donnez l'argent et vous la récupérez. Quand venez-vous ?

– Aujourd'hui, dit Malko. Rendez-vous à quatre heures devant vos containers.

Il raccrocha. Soulagé. Il allait enfin régler un compte. Il aimait bien ce genre d'acte gratuit ; rien ne le forçait à retourner à Klaipeda, car cela ne ressusciterait pas Galina. Sauf une certaine idée de lui-même, plus importante que tout le reste. Il était évident que Chourik Koutchoulory allait lui tendre un piège, puisqu'il ne pouvait lui rendre Galina. Cela aussi allait rendre la journée intéressante. Risquer sa vie pour rien, c'était son unique luxe de contractuel à la CIA.

CHAPITRE XIX

La Mercedes blindée filait sans à-coups sur l'autoroute de Vilnius. A l'arrière, coincé à côté de Milton Brabeck, Macha demeurait silencieuse, rétractée. Même en compagnie des trois hommes, elle éprouvait une terreur superstitieuse à l'idée de revenir dans le domaine de Chourik Koutchoulory. Le plan de Malko était fait. Un peu compliqué, mais il n'avait pas le choix...

De temps en temps, il se retournait : apparemment, ils n'étaient pas suivis, mais comme il n'y avait qu'une seule route... Le KGB lituanien disposait encore de moyens considérables...

Enfin, la stèle de pierre signalant l'entrée de Klaipeda apparut sur le bord de la route. Malko se retourna vers Macha.

– Nous allons vous déposer en ville, je veux que vous alliez à l'Aeroflot et que vous preniez quatre billets pour Moscou, sur le vol de demain. Je vais vous donner de l'argent. Des roubles et des dollars, s'il y avait un problème.

– A quels noms?

– Le vôtre et trois autres que vous inventerez. Prenez des noms lituaniens dans un journal.

Il ne risquait rien. Klaipeda-Moscou, c'était encore un vol intérieur sans le moindre contrôle. Avant de quitter Vilnius, il avait fait prévenir James Pricewater qu'il le rejoindrait à Moscou.

– Et après? demanda-t-elle anxieusement.

– Nous nous retrouverons au bar du *Klaipeda*, au neuvième étage.

Après avoir franchi les deux grands ronds-points à l'entrée de la ville, il stoppa, lui donna l'argent et la déposa, la laissant partir à pied. Il avait juste le temps d'arriver au rendez-vous avec Chourik Koutchoulory.

Le gardien à l'entrée des docks, toujours aussi avachi, se contenta de saluer d'un signe de tête la Mercedes. Malko effectua un large détour, zigzaguant au milieu des containers, afin de repérer les lieux. Dissimulée près de l'entrée, il aperçut une grosse Lada 4 × 4, avec plusieurs hommes à bord, armés de fusils à pompe et de Kalachnikovs.

La réception préparée par le mafioso ouzbek.

Chris et Milton étaient prêts. Même sans leur armement habituel, les deux gorilles étaient encore redoutables. Milton avait sa carabine Kalach avec deux chargeurs scotchés l'un à l'autre et son Tokarev glissé dans la ceinture, les grenades restantes posées dans un carton à ses pieds. Chris Jones se contentait d'un Makarov auquel il s'était bien habitué. Tireur d'élite, il pouvait mettre hors de combat une demi-douzaine d'hommes avant que ceux-ci aient eu le temps de tirer un seul coup de feu.

Malko revint vers le quai et aperçut la longue Tchaika noire arrêtée près des containers.

– On y va! dit-il.

Ils avaient soigneusement répété le rôle de chacun. Malko avança jusqu'à quelques mètres de la Tchaika, et stoppa. Il pouvait apercevoir le mafioso assis à l'arrière. Deux hommes se trouvaient à l'avant : le chauffeur et un garde du corps.

Malko descendit de la Mercedes, escorté de Chris et Milton, et s'avança vers la Tchaika, une grosse enveloppe craft à la main. Jusque-là, il ne craignait rien. Koutchoulory ne bougerait pas tant qu'il n'aurait pas son argent... Vautré sur le siège arrière, il fumait un de ses énormes cigares. Malko ouvrit la portière. Enfoncé dans son siège, Chourik Koutchoulory l'accueillit d'un sourire chaleureux, agitant son cigare en signe de bienvenue. Puis son regard se porta sur la grosse enveloppe marron et le sourire s'accentua encore.

– *Karacho! Karacho!* lança-t-il.

Malko était toujours debout près de la portière. Chris et Mitlon avaient pris position, chacun d'un côté de la voiture, à la hauteur des portières avant, surveillant le chauffeur et le garde du corps. Ceux-ci ne bronchaient pas, très calmes. Visiblement, ils avaient été bien briefés.

– Où est Galina? demanda Malko.

– Chez moi, elle n'a pas voulu venir, répliqua le mafioso. Dès que j'ai l'argent, nous allons la chercher. Vous dans votre voiture, moi dans la mienne. OK?

– OK, dit Malko.

Chourik Koutchoulory tendit la main.

– Vous me donnez mes beaux dollars?

Malko se pencha et déposa l'enveloppe sur ses genoux. Aussitôt, coinçant son cigare dans le cendrier, Chourik Koutchoulory se mit en devoir d'ouvrir l'enveloppe, quittant Malko des yeux. Comme elle était très bien scotchée, cela lui prit quelques secondes. Il arriva enfin à déchirer un des bouts et ses doigts se refermèrent sur une liasse de morceaux de journaux.

En un clin d'œil, ses traits se déformèrent sous l'effet de la fureur. Il leva la tête et vit alors le long pistolet noir braqué sur lui.

Posément, Malko ouvrit le feu sur Chourik Koutchoulory. Une balle dans le cou, une autre dans l'abdomen. Le mafioso ouzbek essaya de se protéger en mettant la main devant lui et le troisième projectile de Malko lui emporta un doigt.

Il tentait de se lever, avec une grimace de douleur,

quand Malko lui tira une quatrième balle. Dans la tête.

*
**

A l'avant, le chauffeur et le garde du corps étaient immobiles comme des statues. Braqués par Chris Jones et Milton Brabeck. Les quatre détonations s'étaient perdues dans le grondement du port, étouffées par le silencieux.

Effondré sur le siège arrière, Chourik Koutchoulory ne bougeait plus. Malko regarda autour de lui. Personne ne semblait s'être aperçu de rien. Il se sentait soulagé. Tuer Koutchoulory n'était qu'une mesure d'hygiène publique, pas un assassinat. Il avait beau avoir horreur de la violence, on ne pouvait pas laisser impuni des crimes abjects comme celui commis par le mafioso. C'est la Bible qui avait lancé le slogan « œil pour œil ».

Il était toujours d'actualité.

Seulement, tuer lui laissait toujours un goût de cendres dans la bouche. Il s'approcha des deux gardes morts de peur, se pencha et prit la clef de contact.

– Vous n'allez pas bouger pendant cinq minutes, dit-il en russe, et rien ne vous arrivera. Sinon...

Ils s'éloignèrent tous les trois après avoir délesté les deux hommes de leurs armes. Quand ils atteignirent la Mercedes, ils n'avaient pas encore bougés. Leur patron mort, ils n'avaient pas envie de risquer leur peau pour rien. Malko franchit la grille en trombe, apercevant sur sa gauche la Lada pleine d'hommes armés. Ceux-là attendaient un signal de Koutchoulory. Ils ne bronchèrent pas, pensant probablement qu'il y avait eu un contre-ordre, et Malko tourna à droite, se dirigeant vers le centre de Klaipeda.

*
**

Macha sursauta lorsque Malko s'encadra dans la porte du bar au neuvième étage du *Klaipeda*. Il la rejoignit dans son box, demandant aussitôt :

– Vous avez les billets pour Moscou ?

– Oui, dit-elle poussant une enveloppe sur la table.

Elle n'avait pas touché à son Cointreau... Malko vérifia les billets. Pour le vol du lendemain sur Moscou. 10 h 50. A des noms qu'il pouvait à peine prononcer.

– Chourik Koutchoulory est mort.

Le visage de Macha se figea.

– Mort ! Vous l'avez...

Elle ne termina pas sa phrase et éclata en sanglots, balbutiant des mots décousus. Quand elle releva la tête, elle lui adressa un sourire radieux et lui prit la main.

– *Spasiba ! Spasiba !* C'est vraiment vrai ? insista-t-elle.

– Cela doit déjà se savoir, dit Malko. Allez le vérifier.

Elle disparut comme si elle avait le diable à ses trousses. Il termina tranquillement sa vodka et descendit vingt minutes plus tard. Macha, installée dans un de fauteuils du hall, sauta sur ses pieds et courut vers Malko.

– C'est vrai ! s'exclama-t-elle. Chourik est bien mort. On ne parle que de cela en ville. C'est merveilleux. Mais j'ai quelque chose à vous dire.

Elle semblait embarrassée.

– Quoi ?

– Je ne vais pas à Moscou avec vous, je n'ai plus de raison, maintenant qu'il est mort. Comme j'ai été élue Miss Baltique, j'ai trouvé du travail à la réception de l'hôtel... Mais on va quand même passer la soirée ensemble. Est-ce que je peux amener des amies à moi ? Je connais un restaurant inouï, sur un vieux bateau, le *Meridianas*.

– Va pour le bateau, fit Malko qui pensait déjà à Moscou.

*
**

Il régnait une chaleur de bête dans l'entrepont du vieux voilier *Meridianas* transformé en restaurant. Niché à l'avant, un orchestre de rock faisait trembler les planches de bois. Presque tous les clients étaient des Allemands du cinquième âge, venus admirer la vieille ville datant du XVe siècle, sifflant la bière comme de l'eau... Quelques couples évoluaient avec une grâce pataude sur la piste, au milieu des sifflements et des lazzis. Macha, assise à côté de Malko, en était à son troisième carafon de vodka et ses yeux brillaient comme des phares. Elle avait troqué sa robe stricte contre une ultra courte avec un décolleté d'enfer dévoilant ses jambes bien galbées. Ses deux copines étaient tout aussi sexy. Une brune plantureuse aux yeux brillants qui répondait au nom de Mirna, et Afta, une blonde à la vulgarité pulpeuse dont les yeux bleus semblaient ne fixer qu'une chose chez les hommes, un point au-dessous de la ceinture. Afta ne parlait que lituanien.

Chris et Milton n'en pouvaient plus. Mirna et Afta se conduisaient avec eux comme des guenons en rut, déclenchant des fous rires chaque fois qu'un des deux se recroquevillait sous leurs caresses plus qu'audacieuses.

– Viens danser, réclama Macha à Malko.

Aussitôt sur la piste, elle s'enroula autour de lui pour le plus grand plaisir des Teutons.

– On va rentrer, suggéra-t-elle, et on va jouer au marin ivre... Tu as la place dans ta suite.

– Qu'est-ce que c'est?

– On danse et on éteint la lumière régulièrement. Chaque fois, on change de partenaire.

– On ne fait que danser? demanda Malko méfiant.

Macha pouffa contre son oreille.

– Bien sûr que non, mais tu mérites une récompense

pour nous avoir débarrassés de ce salaud de Chourik. J'ai de la vodka à l'hôtel. Plus de cinq cents grammes par personne.

Les Allemands s'en allaient et ils en firent autant. Les deux copines de Macha, accrochées à Chris et à Milton, ne furent pas calmées par la fraîcheur. Pas plus que Macha. A peine dans la chambre, elle ouvrit une bouteille de vodka, but au goulot et la passa à la ronde... Horrifiés, Chris et Milton n'en burent qu'une gorgée, mais leurs cavalières sifflèrent le reste... Aussitôt, Mirna, celle qui avait l'air d'une vraie salope, brancha la radio et se mit à chanter un vieil air russe sur une musique de rock tout en se déshabillant.

Macha fonça vers l'interrupteur et éteignit. Aussitôt, Malko sentit sa bouche sur la sienne, et ses mains qui se démenaient contre lui.

Quand une des filles ralluma, Macha était à genoux devant Malko et Chris luttait en vain contre Mirna uniquement vêtue d'un slip et de bottines...

A peine la lumière disparut-elle à nouveau que Malko sentit une tornade parfumée repousser Macha et l'entraîner vers le lit. Afta s'empala littéralement sur lui avec un cri de joie... Il y eut des bruits divers et une porte claqua.

Lumière : Milton avait disparu...

Chris Jones, rouge comme une pivoine, se débattait, à moitié déshabillé contre Mirna qui avait glissé une main jusqu'au coude dans son pantalon... Macha dansait toute seule au milieu de la pièce.

Plus de lumière. Malko devina que la langue qui s'enfonçait dans son oreille appartenait à Macha. Afta le chevauchait toujours. Elle lui susurra :

– Dépêche-toi de faire jouir cette petite salope d'Afta, j'ai envie de ta queue.

Une bête à deux dos passa près d'eux et s'effondra sur le canapé avec un concert de gémissements. Puis, un cri de joie troua le silence. En russe.

– Il en a une énorme!

Suivi d'un bruit humide, d'un soupir à fendre l'âme et du grincement de ressorts agités en cadence... Visiblement, Chris Jones avait été vaincu par le nombre. Mirna, qui en profitait, criait et délirait avec des mots d'une obsénité raffinée. Ayant obéi à l'injonction de sa copine, Afta s'arracha enfin à Malko et marcha vers le commutateur. Lorsque la lumière se fit, Macha avait déjà englouti Malko jusqu'au fond de son ventre et Chris Jones, héroïque, avait réussi à se relever.

Titubant à travers la pièce, il gagna la sortie et disparut. Macha se pencha tendrement contre Malko.

– Bravo! Tu nous as toutes les trois. On va bien te soigner.

Malko sentit qu'on lui glissait le goulot d'une bouteille de vodka entre les lèvres. Il en but une bonne rasade, agacé par mille mains. Macha s'accrocha à lui, se mit debout et marcha vers le mur où elle s'appuya, se retournant pour l'appeler.

Déjà, les deux autres le houspillait. Afta saisit sa virilité et la guida au milieu de la croupe de Macha. Allumé par la vodka, Malko la pénétra d'un coup violent qui lui arracha un soupir énamouré. Les deux autres se remuaient contre lui, le caressant, l'agaçant de mille manières, glissant même une main entre leurs deux corps comme pour s'assurer de ce qu'il faisait.

Macha lança quelques mots en lituanien.

Aussitôt, Afta passa entre le mur et elle, et commença à frotter sa poitrine contre la sienne. Mirna tira Malko en arrière jusqu'à ce qu'il soit sorti de la gaine tiède. Il sentit ses doigts qui le guidaient plus haut. Macha gémissait doucement sous les caresses de sa copine.

Celle qui le tenait à pleine main vint s'inscruster contre son dos. Il sentait même les pointes de ses seins. Soudain, elle se jeta de tout son poids contre lui qui répercuta la poussée. Son membre s'arrêta une fraction de seconde à l'ouverture des reins de Macha, puis s'y engouffra d'un coup, déclenchant un hurlement. Mirna continuait à pousser avec un rire dément. Elle glissa une main entre les deux corps et lança à la cantonade en russe :

– Tu peux bouger, maintenant, elle est bien emmanchée...

Le sandwich humain se mit à onduler de plus belle. C'était à qui gémissait le plus. Malko allait et venait lentement, toutes ses terminaisons nerveuses en éveil. Il avait pris les seins de Macha et les malaxait sensuellement.

Quand il se déchaîna pour le galop final, les trois filles se mirent à l'encourager jusqu'à ce qu'il explose, les jambes coupées. Macha criait sans discontinuer... C'est pourtant elle qui l'entraîna vers la salle de bains pour une douche réparatrice. Il eut à peine le temps de reprendre ses esprits. A la sortie de la baignoire, une des furieuses, Afta, le prit en main, le remettant en forme très vite et le forçant à la prendre, cassée en deux contre la baignoire.

Lorsqu'il regagna le lit, il était à tordre...

Déjà la troisième goule attaquait à petits coups de langue. Il repensa au proverbe russe qui dit qu'il est plus facile d'allumer un poêle qu'une femme russe. Se disant que, la vodka aidant, c'était encore plus difficile de l'éteindre.

La tête comme un compteur à gaz, Malko se traîna jusqu'au téléphone. Il voulait avoir des nouvelles de James Pricewater pour que ce dernier vienne le chercher à l'aéroport. Il transmit le message à un de ses collaborateurs, et se jeta sous une douche. Il avait juste le temps de prendre son avion.

La bacchanale avait duré jusqu'à l'aube. Déchaînées, les trois Lituaniennes avaient extrait de son corps jusqu'à la dernière parcelle de vie. Elles dormaient maintenant, réparties entre le lit, la moquette et le divan de la sitting-room.

Le Tupolev 134 changea de régime et commença à perdre de l'altitude. A travers le hublot rond, Malko aperçut les forêts entourant Moscou. Le ciel était bas et nuageux et ils avaient été copieusement secoués depuis leur départ de Klaipeda.

Les adieux avec Macha avaient été dans le style slave et déchirant. Malko en avait encore des courbatures. Rarement on lui avait offert une telle fête sexuelle.

Quant à Chris Jones et Milton Brabeck, ils osaient à peine le regarder en face. Chris surtout. Vexés comme des poux et tenaillés par la crainte d'avoir attrapé le sida.

Bien sûr, il y avait un risque, mais *nitchevo*... C'était fait. Malko regarda pour la dixième fois les autres passagers. Rien de suspect. Plus aucune nouvelle de Katia et de ses amis. Peut-être croyaient-ils vraiment que Vladimir Bazarnov était mort lorsque Malko l'avait trouvé. Celui-ci avait réservé à l'hôtel *Métropole*, donc, le KGB allait immédiatement connaître sa présence à Moscou. Le problème était de savoir quel KGB.

Normalement, la surveillance des étrangers revenait au Deuxième Directorate, dont le patron était le général Kotov. Ce dernier ne faisait pas partie des putschistes.

Les roues du Tupolev 134 touchèrent le sol et il se dirigea vers l'aérogare de Vukovno, nettement moins brillante que sa consœur de Cherematievo, l'aile internationale. Un Airbus 320 d'Air France était en train de décoller. Un des deux vols quotidiens pour Paris. Malko s'attendait à un comité d'accueil mais il ne vit d'abord que l'habituelle foule grise et amorphe, les taxis clandestins et quelques pimpantes employées de l'Intourist cherchant à se faire un peu de dollars.

Il allait échouer dans une Volga empestée comme un

four crématoire par un vieux chauffeur bougon lorsque James Pricewater surgit.

– Ça valait la peine de venir à Moscou, exulta l'Américain. J'ai retrouvé la trace de Valeri Nicolaievitch Vlassov!

– Qui est-ce?

– Un des anciens directeurs du Premier Directorate. Un Brejnevien pur sucre, sur qui nous avons un dossier d'enfer. Il a été viré par Gorbatchev lui-même, il y a deux ans et demi. Comme il avait plus de cinquante ans, on l'a mis à la retraite d'office, mais il n'a pas apprécié. Par contre, on n'a trouvé aucun lien entre lui et Vladimir Bazarnov...

– Où habite-t-il?

– A Moscou. 87, rue Gorki. Il a acheté un appartement en copropriété. J'ai même son téléphone : 7654398... Appartement 21. C'est vers le bas, à côté de l'hôtel *Intourist.*

Il n'y avait plus qu'à y aller! Malko était en possession désormais de tous les éléments pour récupérer les conversations secrètes de Gorbatchev et peut-être changer le cours de l'Histoire.

CHAPITRE XX

– On se croirait à New York, soupira Chris Jones, admirant le hall majestueux dégoulinant de marbre de l'hôtel *Métropole*.

Refait de fond en comble, à peine inauguré, il affichait un luxe ostentatoire et anachronique dans cette Union soviétique de misère.

Malko gagna sa chambre. Il sortit le billet du Bolchoï trouvé chez Dimitri Bazarnov et le contempla pensivement. Normalement, il était au bout de ses peines. Cependant, il hésitait à contacter Valeri Vlassov sans prendre un minimum de précautions. Le téléphone étant exclu, la vue du billet lui donna une idée. Redescendant, il sortit du *Métropole*, et partit à pied en direction du Bolchoï, à moins de cent mètres. Il s'engagea dans le passage souterrain de la rue Kuznecki et, en remontant de l'autre côté, se heurta à un homme mal habillé qui lui proposa pour le soir même deux billets au marché noir, des orchestres, pour la modique somme de trente dollars. Les abords du Bolchoï étaient ainsi hantés tous les soirs par d'habiles spéculateurs... Malko acheta les billets, retourna au *Métropole*, en mit un dans une enveloppe et sonna, de sa chambre, un valet.

– Pouvez-vous porter ceci rue Gorki à un de mes amis, demanda-t-il, j'ai pu avoir des places pour le Bolchoï ce soir.

Afin d'être certain de sa célérité, il ajouta un billet de cinq dollars à l'enveloppe.

L'employé était déjà parti, le billet de cinq dollars entre les dents... Malko avait joint au billet d'orchestre un mot disant simplement : « Je possède un billet du 14 juin qui vous rappellera certainement quelque chose. »

Il prit le temps de prendre un bain, de regarder CNN sur la télé Akaï grand écran de sa chambre et se dirigea vers sept heures moins le quart vers le Bolchoï. Comme tous les soirs, c'était complet.

Dès la première sonnerie, tout le monde était assis. Malko s'installa à sa place d'orchestre. Le siège à côté de lui était toujours vide... Il l'était encore lorsque la lumière s'éteignit. Ce n'est que pendant le prologue qu'une silhouette se glissa furtivement dans l'ombre et vint s'y asseoir. Malko tourna la tête et distingua un homme au visage mince, avec peu de cheveux, des lunettes. Ils s'observèrent tandis que les chants commençaient sur la scène. C'est Malko qui rompit le silence, se penchant à l'oreille de son voisin, tout en lui tendant le billet ancien :

– Ceci vous dit quelque chose?

L'autre l'examina et il vit ses lèvres bouger. Il paraissait violemment ému.

– *Da, da!* murmura-t-il.

– Vous êtes Valeri Nicolaievitch Vlassov? demanda Malko à voix basse.

– *Da.*

– Vladimir Bazarnov m'a donné ce billet pour vous contacter. C'est vous qui détenez des éléments précieux qu'il vous a confiés.

Le Soviétique tourna légèrement la tête et dit presque sans bouger les lèvres :

– Où est Vladimir?

– Mort, fit Malko, assassiné par les gens du groupe Alpha.

La chanteuse sur scène couvrait le bruit de leurs voix. Il raconta rapidement les circonstances du décès de Vladimir Bazarnov. Son interlocuteur lui expédia un regard perçant.

– Vous êtes de la CIA?

– Oui.

A quoi bon nier? Il avait en face de lui un professionnel. Ce dernier s'enquit immédiatement :

– Comment m'avez-vous retrouvé?

– Vous avez un gros dossier chez nous.

Il fut interrompu par une salve d'applaudissements. Le premier acte allait se terminer. Valeri Vlassov s'éloigna aussitôt de lui.

– Ne me parlez plus! enjoignait-il. Ils sont peut-être ici.

Quand la lumière se ralluma, il avait déjà quitté son siège. Malko en fit autant, allant traîner au rez-de-chaussée où les gens faisaient la queue pour prendre du thé et des sandwiches. Il trépignait intérieurement. Maintenant qu'il touchait au but, chaque seconde perdue était insupportable. Dès la première sonnerie, il se rua à sa place. Sa voisine avait laissé une paire de jumelles dont il s'empara pour balayer les travées des balcons et les loges.

Il s'immobilisa, le cœur battant, en jumelles braquées sur une des avant-scènes. Il lui semblait voir l'image floue de quelqu'un ressemblant à Katia Boudarenko. Puis les gens bougèrent, le visage revint dans l'ombre et il ne fut plus certain de rien.

Il y avait beaucoup de blondes au Bolchoï et il était trop loin pour être sûr de son fait. De toute façon, cela n'avait rien d'étonnant qu'il assiste à cette soirée. Et rien de dangereux non plus, sauf si Katia connaissait le visage de Valeri Vlassov... Ce dernier revint juste avant que la lumière ne disparaisse, ignorant ostensiblement

Malko. Celui-ci se pencha vers lui dans l'obscurité revenue.

– Vous avez monté cette affaire avec Vladimir?

Le retraité du KGB secoua la tête.

– Non, il a fait appel à moi, *après*. Lorsqu'il était déjà traqué. J'ai accepté de l'aider parce que je considère que Mikhaïl Sergueivitch nous a tous trompés. Ce n'est qu'un arriviste et un combinard. Un opportuniste. Il faut que les Américains en aient la preuve.

Malko prit la balle au bond.

– Cette preuve, c'est donc vous qui l'avez?

Valeri Vlassov inclina la tête affirmativement.

– Vous souhaitez les mêmes conditions que Vladimir? demanda Malko avec prudence.

Le Soviétique eut un sourire ironique.

– Non. Je ne vais pas vous demander des millions de dollars. Je ne saurais qu'en faire. J'ai ma retraite, un appartement à moi et je vais écrire des livres. D'autres part, j'ai lutté toute ma vie contre la CIA, ce n'est pas pour lui demander de l'argent.

Malko n'en revenait pas.

– Mais alors pourquoi faites-vous cela?

Ils laissèrent passer des chœurs particulièrement vigoureux avant qu'il ne puisse répondre.

– Je vous l'ai dit : il faut que les Américains sachent qui est Mikhaïl Gorbatchev. Vladimir avait d'autres objectifs, ce ne sont pas les miens. Plus vite je serai débarrassé de ce paquet, mieux ce sera.

– Je suis à votre disposition, dit Malko.

Le Soviétique se raidit.

– Je n'en doute pas, mais je ne veux pas prendre de risques. Jusqu'ici je n'ai pas été mêlé à cette affaire. Donc, il n'est pas question que nous quittions ensemble ce théâtre. Je partirai avant la fin, de façon à voir si je suis suivi. Mêlez-vous à la foule à la sortie et rejoignez-moi rue Gorki. D'accord?

– D'accord, fit Malko.

Il essaya en vain de se concentrer sur le spectacle,

mais son cœur battait trop vite. Sauf pépin de dernière minute, il allait enfin récupérer des documents sans prix...

Les deux heures qui suivirent s'écoulèrent avec une lenteur exaspérante. A chaque entracte, Valeri Vlassov disparaissait pour ne revenir que la lumière éteinte. Peu après la fin, alors que, sur scène, les chœurs déploraient la mort héroïque de l'ami du Tsar, Vlassov prit la main de Malko et la serra brièvement avant de se lever.

Les dés étaient jetés.

*
**

Une foule épaisse s'écoulait à travers les quatre grandes portes du Bolchoï. Plus de deux mille personnes. Malko avait pris bien soin de garder son vestiaire et de rester au milieu du flot humain. Passant très vite le perron, il se noya dans les gens agglutinés autour des rares taxis, juste en face du square hanté par les pédés. Pour donner le change, il discuta avec l'un d'eux, demandant à être conduit à Spartakowskaia, un quartier assez éloigné dans le nord. Pour cinq dollars, le chauffeur accepta et se dégagea à grands coups de klaxon, filant vers la place du Manège. Juste avant d'arriver à la rue Gorki, en face du Kremlin, Malko lui tapa sur l'épaule.

– Stop!

L'autre pila. Malko lui tendit les cinq dollars avant de plonger par la portière et de s'engouffrer dans l'entrée du passage souterrain qui franchissait la place du Manège et la rue Gorki, desservant aussi trois stations de métro. Un véritable dédale de couloirs dans lequel il s'élança en courant. Déserts à part quelques amoureux et les habituels vendeurs de revues pornos. Il s'arrêta pour prendre un ticket à un distributeur et descendit sur le quai de la ligne Kirovsko-Frunzenskaia. Il monta dans le dernier wagon en direction de Frunzenskaia, attendit que la rame démarre et, au dernier moment, sauta sur le quai. Le métro s'ébranla et personne n'en descendit. Il revint sur ses pas, prit un autre couloir, puis un escalier pour émerger finalement de l'autre côté de la place du Manège... Il la traversa en biais, filant ensuite sous les échafaudages de l'hôtel *National* et atteignit enfin la rue Gorki. Normalement, on ne pouvait pas l'avoir suivi.

Un vent glacial soufflait du haut de la rue. Malko avançait, courbé en deux, la crosse de son pistolet extra-plat plaquée contre son estomac. Il passa devant le Centre international de transmissions et continua. L'immeuble où demeurait Valeri Vlassov se trouvait presque un kilomètre plus loin, après la place Pouchkine. Noirâtre et mal entretenu, le crépi en morceaux. Malko s'engagea sous la voûte et alluma la minuterie qui dégageait une clarté jaunâtre.

Bien entendu, l'ascenseur était en panne...

Il monta les trois étages, l'oreille tendue. Il y avait quatre portes sur le palier, avec chacune un numéro.

Il sonna à la bonne et le battant s'entrouvrit presque aussitôt sur Valeri Vlassov, drapé dans une robe de chambre de velours noir, une main dans la poche. Il regarda par-dessus l'épaule de Malko, le fit entrer puis referma vivement, mettant trois verrous.

– Je crois que j'ai été suivi en sortant, annonça-t-il en posant sur un guéridon un lourd Tokarev.

Malko eut une poussé d'adrénaline à lui faire exploser les artères! Son cœur battait si vite et son estomac était si contracté qu'il n'aurait pas pu boire un verre d'eau.

– Vous en êtes sûr?

Valeri Vlassov hocha la tête.

– Non. Mais vous savez, j'ai un sixième sens pour ces choses-là et je les connais. Ils sont très forts. Enfin, *nitchevo*...

Il paraissait curieusement détaché. Le living était grand et très douillet avec des tableaux partout, des tables croulant sous les photos, des bibelots du monde entier, des tapis, une sorte de capharnaüm sympathique avec dans un coin un petit secrétaire. Valeri Vlassov s'y rendit et revint vers Malko avec un paquet de la taille d'une boîte à chaussures qu'il lui tendit.

– Faites-en bon usage.

Malko examina le paquet. Il était enveloppé de papier brun et bardé de ficelles reliées entre elles par des cachets de cire rouge, au milieu de laquelle on avait glissé un morceau de papier portant une signature. Valeri Vlassov eut un sourire ironique.

– C'est la signature du camarade Beda, il ne voulait pas risquer que les bandes soient trafiquées. Comme il s'est suicidé, il est difficile de lui demander de refaire une signature...

Malko soupesait le paquet, à la fois extatique et anxieux. Voilà pourquoi on s'était massacré depuis trois semaines! Evidemment, si ces bandes accusaient un des hommes les plus puissants du monde, cela en valait la peine... Il eut soudain une idée. S'ils étaient surveillés, c'était maintenant qu'on risquait de s'attaquer à lui... Certes, il était armé, mais pas assez pour résister à un assaut en règle.

– J'ai deux hommes sûrs avec moi à l'hôtel, dit-il. Est-ce que je peux les appeler pour qu'ils m'escortent?

Valeri Vlassov hésita.

– Si vous êtes surveillé...

– Dans ce cas, ils sont déjà en bas, objecta Malko. Et si nous ne le sommes pas, cela ne change rien.

– Très juste, reconnut le Soviétique. Voilà le téléphone.

Malko composa le numéro de la chambre de Chris Jones et lui expliqua patiemment comment le rejoindre. Le gorille avait un plan de Moscou et ce n'était pas un idiot. En plus, les chiffres étaient en caractères romains.

– Ils seront là dans un quart d'heure, dit-il, après avoir raccroché.

– *Tchai?* proposa Valeri Vlassov. J'en ai toujours dans le samovar.

Les deux hommes s'installèrent autour de la table basse, buvant leur thé en silence, guettant les bruits de l'immeuble; le coup de sonnette les fit sursauter. Valeri Vlassov se leva, Malko colla un œil à l'œilleton et ouvrit.

Chris et Milton, les mains dans les poches, étaient impressionnants. Malko annonça :

– Je vous présente le général Vlassov, du Premier Directorate du KGB.

Intimidés, les deux gorilles lui serrèrent la main. Valeri Vlassov adressa un sourire las à Malko.

– Partez maintenant.

– Une question, dit Malko, souhaitez-vous que je dise à la CIA qui m'a remis ce paquet?

– Ça m'est égal, fit Valeri Vlassov. J'espère seulement que ces documents rétabliront la vérité.

La porte claquée derrière eux, Milton descendit le premier, tenant sous son imperméable sa Kalachnikov armée. Ensuite, Chris et Malko, armes au poing également. Dans le hall du rez-de-chaussée, ils se sentirent un peu ridicules. Ils n'avaient vu qu'un rat! Mais c'est de nouveau Milton qui se glissa seul à l'extérieur, pour examiner la rue Gorki.

Un taxi la descendit et Malko le héla. Pour cinq dollars, il accepta de les conduire au *Métropole*, les prenant pour des étrangers paumés dans Moscou. Tandis qu'ils contournaient l'énorme place du Manège, Malko surveillait l'arrière : personne. C'est solidement encadré qu'il franchit la porte du *Métropole*. Hésitant sur la conduite à tenir : le plus sage étant de prévenir immédiatement le chef de station de la CIA pour mettre son butin à l'abri. Seulement, il devait repasser par sa chambre pour y prendre le numéro de téléphone. Laissant Chris et Milton dans le hall, il prit l'ascenseur jusqu'au quatrième. Il venait tout juste d'en sortir lorsqu'il fut rattrapé par le garçon qui avait porté le billet du Bolchoï.

– *Gospodine*, lança-t-il, j'ai fait entrer la dame qui se trouvait au Bolchoï avec vous. C'était d'accord, n'est-ce pas?

Malko eut l'impression qu'on lui déversait une tonne de plomb dans l'estomac. Il réussit à sourire.

– C'était tout à fait d'accord.

Il laissa le garçon s'éloigner avant de glisser la carte magnétique dans la fente qui servait de serrure. Le pêne claqua avec un bruit sec et il tira le battant en arrière. Sa main droite pendait le long de son corps, tenant le pisolet extra-plat.

En une fraction de seconde, il distingua, grâce à la lueur qui filtrait à travers les rideaux, une silhouette debout près du téléviseur. Il devina plus qu'il ne vit le bras qui se levait sans un mot, sans un avertissement.

Katia Boudarenko était là pour le tuer, un point c'est tout.

CHAPITRE XXI

Comme un automate, sans viser, le bras de Malko partit à l'horizontale et son doigt pressa la détente du pistolet extra-plat. Il y eut un « plouf » assourdi, suivi immédiatement d'un second, un cri, et machinalement, il remit l'arme en ligne, pressant la détente une seconde fois.

Alors seulement, il réalisa que la silhouette n'était plus là. Comme s'il avait été l'objet d'un hallucination. Le sang se ruait dans ses artères, son cœur battait la chamade, un silence minéral avait envahi la chambre. Il se retourna : le couloir était désert. Il manœuvra le commutateur et aperçut le corps allongé par terre, la tête appuyée contre le fauteuil... Sa première balle avait frappé Katia en plein dans l'œil droit, la foudroyant.

Elle avait eu le temps de tirer et cette détonation s'était confondue avec la seconde tirée par Malko. Mais elle était mourante et sa balle avait fracassé seulement la télé.

Il contempla la jeune femme, l'estomac noué. Donc, il avait eu raison : ils se trouvaient bien au Bolchoï, elle et ses amis. Plutôt que de l'intercepter, ils avaient préféré attendre sur place qu'il revienne... Ce qui voulait dire que Valeri Vlassov était en danger mortel... Malko se rua sur le téléphone et composa le numéro du général du KGB.

A la troisième sonnerie, cela décrocha.

– Vous aviez raison, fit Malko, on m'attendait ici...
– Ça s'est mal passé? demanda anxieusement le Soviétique.
– Pour la personne qui attendait, oui.
Il y eut un soupir étouffé au bout du fil.
– Il n'y a plus rien à faire. Ils me connaissent. Pas la peine de se cacher.
A peine eut-il raccroché que Malko composa le numéro personnel du chef de station.
– Je vous attends au *Métropole*, dit Malko, c'est extrêmement important. Ensuite, nous irons à l'ambassade.
Comme il ne voulait pas de questions indiscrètes, il raccrocha et redescendit dans le hall, laissant le corps de Katia dans sa chambre. Tant que les précieuses bandes ne seraient pas en sûreté, il ne voulait prendre aucun risque. Katia n'agissait pas seule...
Chris et Milton veillaient dans le hall, suivant des yeux une élégante Soviétique en robe noire avec des bas à couture. Une pute ou la femme d'un apparatchik... Malko s'assit entre eux deux, surveillant l'entrée de l'hôtel. Ecoutant d'une oreille distraite la conversation d'un groupe de businessmen français qui revenaient de Tokyo. Elle tournait autour d'une initiative d'Air France qui, sur les vols directs Paris-Tokyo, mettait désormais à leur disposition des mini-ordinateurs portables...
Tout ce qui se présenta, une demi-heure plus tard, fut le chef de station, très intrigué...
– Que se passe-t-il?
Malko prit le paquet scellé et le lui montra.
– Je ne dormirai tranquille qu'une fois ceci à l'abri dans votre coffre à l'ambassade.
L'Américain n'insista pas et ils repartirent tous les quatre dans sa voiture. A l'ambassade, ce fut tout un cirque pour parvenir à la salle des coffres, il fallut réveiller le permanencier qui alla demander des instructions à l'ambassadeur en personne... Enfin, Malko vit

disparaître dans le lourd coffre-fort le paquet scellé.

Il pouvait aller dormir tranquille, à un détail près.

– J'espère que vous êtes bien avec vos homologues de la Milice, demanda-t-il à l'Américain.

– Pourquoi?

– Parce que j'ai un cadavre dans ma chambre et que c'est moi qui l'ai tué. En légitime défense.

– *Boje moi!* murmura l'Américain, complètement russifié...

Malko se réveilla très tôt, la gorge encore nouée par l'angoisse. Pourtant, il n'avait pu s'endormir qu'à quatre heures du matin, et encore dans une chambre voisine de la sienne. Il avait fallu des interventions extrêmement haut placées pour que l'affaire soit provisoirement étouffée. Grâce à ses relations au parlement de Russie, l'ambassadeur avait pu bloquer tous les problèmes.

Il n'arrivait pas à croire que tout soit terminé, qu'il ait gagné le pari impossible! Maintenant, les conversations de Mikhaïl Gorbatchev étaient entre les mains de la CIA qui les transmettrait sûrement à la Maison Blanche. Il n'avait plus qu'à flâner dans Moscou et à reprendre le chemin du château de Liezen. Laissant les différentes factions du KGB se déchirer entre elles.

L'ombre de Galina flottait devant son visage. Il avait rarement rencontré une femme aussi belle. Triste destin.

Il rejoignit Chris et Milton dans l'immense salle du breakfast. Les deux gorilles écarquillaient les yeux devant le luxe inouï des buffets, l'élégance des femmes, l'extraordinaire verrière. On se serait cru revenu un siècle en arrière... Et ils avaient du beurre, du pain, et du café presque aussi mauvais que le café américain.

– Il y a un Mac'Do! annonça Chris, l'œil brillant. On va se goinfrer à midi. On en a marre des harengs et du caviar.

– Trois heures de queue! avertit Malko. Mais la place Pouchkine est superbe. Avant, vous pouvez aller voir la place Rouge.

– Il y a aussi le Goum, remarqua Chris. Il paraît qu'il a plein de trucs.

Encore des illusions qui allaient s'envoler... Après le petit déjeuner, Malko gagna l'ambassade. Le chef de station jonglait avec tous ses téléphones.

– Ce que vous avez fait est fabuleux, s'exclama-t-il. Les gars du KGB n'arrêtent pas de téléphoner comme des fous. On a encore arrêté ce matin deux types qui appartenaient à ce groupe Alpha. Ceux qui voulaient vous flinguer. Des dangereux...

Malko fut un peu surpris.

– Je croyais qu'ils représentaient le KGB officiel, qu'ils travaillaient pour Mikhaïl Gorbatchev?

Le chef de station eut l'air embarrassé.

– Ce n'est pas la version que j'ai eue du Centre... D'après eux, ce groupe agissait pour des commanditaires qui n'ont pu être dévoilés. C'est une histoire intérieure russe. Gorbatchev n'était pas au courant et ils ne bénéficiaient pas du soutien officiel du Centre.

– Ils étaient pourtant installés dans une caserne de l'Armée soviétique à Vilnius, objecta Malko. Et leur délégation venait de Moscou.

– Oui, mais ils n'avaient pas été envoyés par Vadim Bakinine, le nouveau chef du KGB. Celui nommé par Gorby...

Un vrai casse-tête russe. L'Américain enchaîna :

– D'ailleurs, on aura l'occasion de s'expliquer... Demain soir, nous avons un dîner *officiel* en votre honneur offert par le nouveau patron du KGB. Il sera présidé par notre Deputy Director qui doit se trouver en ce moment dans un Concorde d'Air France. Il arrivera ici demain matin... Et, à la demande du patron du KGB, nous avons invité Valeri Vlassov.

Malko n'en croyait pas ses oreilles.

*
**

Le *Boyarsky* ressemblait à une parodie avec sa décoration russe outrancière, son immense verrière et l'orchestre de balalaïkas installé au-dessus de la tête des dîneurs, accompagnant une chanteuse à la voix de bronze.

C'était le fleuron du nouveau *Métropole*, le meilleur restaurant de Moscou. Malko regarda les quatre hommes qui partageaient sa table. En face de lui se trouvait Vadim Bakinine, le patron du KGB, avec un fin visage d'intellectuel, la voix douce et un costume anglais. Passant avec aisance du russe à l'anglais. Son alter ego, l'homme de Washington, ressemblait lui à un Russe avec une trogne enluminée et des manières de paysan. Tout étonné d'avoir traversé l'Atlantique à 2200 à l'heure en mangeant du foie gras, sur le Concorde d'Air France. C'est le chef de station qui s'entretenait surtout avec lui...

Valeri Vlassov n'avait pas ouvert la bouche, vaguement souriant, comme s'il s'étonnait d'être là.

Deux garçons surgirent. L'un portait un énorme plateau de zakouskis, l'autre une profonde coupe en cristal de Bohême pleine à ras bord de caviar beluga. Il la déposa sur la table et y planta des petites cuillères en argent. Puis on versa la vodka.

Le patron du KGB leva son verre en direction de Malko.

– Au succès de notre ami!

Tout le monde but, jetant les verres vides sur le plancher. Nouvelle rasade, en l'honneur du DDO. L'orchestre jouait à tue-tête... Et ainsi de suite, pour tout le monde; on en était à la seconde bouteille... Le visage légèrement cramoisi, le DDO se pencha et prit alors quelque chose dans sa serviette. Malko faillit se trouver mal en reconnaissant le paquet remis par Valeri Vlassov...

L'Américain le tendit à travers la table à son vis-à-vis du KGB.

– Vous remettrez ceci à Mikhaïl Gorbatchev, dit-il d'une voix solennelle. Qu'il sache bien que la guerre froide est définitivement enterrée.

Malko crut avoir mal vu : le paquet n'avait pas été ouvert! Tous ces cadavres pour arriver à cela! Voyant son expression, le chef de station se pencha à son oreille.

– Il y a des gestes politiques qui valent plus que tous les chantages! murmura-t-il. Gorbatchev ne l'oubliera pas. En plus, il n'aura jamais la certitude absolue que ce paquet n'a pas été ouvert...

– Mais enfin, demanda Malko, pour qui travaillait Katia?

L'Américain colla sa bouche à son oreille et dit si faiblement que Malko ne fut pas sûr d'avoir entendu :

– Boris Elstine, je pense...

Déjà, on attaquait le caviar sans retenue. On n'entendit plus que les glapissements de la chanteuse qui couvraient tous les autres bruits... Malko, regardant autour de lui, repéra une bonne douzaine de gorilles en sus de Chris et Milton. Le patron du KGB prenait ses précautions. Mais quel gâchis! Il se pencha vers son voisin, Valeri Vlassov, profitant d'un break de la chanteuse.

– Qu'en pensez-vous? demanda-t-il.

Le Soviétique eut une grimace amère.

– Que Gorbatchev est très fort et que je ne vais pas vivre longtemps...

Malko n'eut pas le temps de demander des explications. Le chef du KGB venait de se lever, le verre à la main, et portait un nouveau toast.

– A l'indéfectible amitié avec les Etats-Unis! lança-t-il.

Avant, c'était avec la Chine, Cuba, ou le Salvador. La formule n'avait pas varié.

Le craquement d'une forte explosion fit trembler la salle. En une fraction de seconde, les traits de Valeri Vlassov se transformèrent en un magma sanglant. Il tomba en avant, comme poussé par une main invisible, noyant son visage massacré dans la vasque de caviar. Sans même avoir lâché son verre dont le contenu se répandit sur son voisin.

Malko leva la tête.

A la place de la chanteuse, il y avait un homme, un fusil à lunette au poing. Comme il cherchait à s'échapper, dix gardes du corps dégainèrent en même temps, tirant sur le balcon avec des pistolets mitrailleurs ou des revolvers. Une véritable pétarade digne d'un film de guerre. La rambarde en bois du balcon vola en éclats sous les projectiles, et l'homme fut projeté dans le vide.

Les autres continuaient à tirer. Il était mort bien avant de s'écraser sur la table d'un couple qui se sauva en glapissant.

On le cribla encore de balles, comme pour être certain qu'il soit bien mort.

Malko, dans le tohu-bohu, se dit que celui-là ne devait pas travailler pour Boris Eltsine. Valeri Vlassov avait eu un bon pressentiment: Il y a des choses auxquelles on ne touche pas.

IMPRIMÉ EN FRANCE PAR BRODARD ET TAUPIN
Usine de La Flèche (Sarthe), le 15-01-1992
4047A-5 - Dépôt légal Editeur : 6654 - 02/1992
ISBN : 2 - 7386 - 0277 - 0

42/5512/1